DE KOREN

De vlucht van de knorrige kelner

De bende van **H** **De Korenwolf**

JACQUES VRIENS

De vlucht
van de
knorrige kelner

Met illustraties van
Annet Schaap

VAN HOLKEMA & WARENDORF

Eerste druk augustus 2008
Tweede druk oktober 2008

AVI-niveau: M5

NUR 282
ISBN 978 90 475 0591 4
© 2008 Uitgeverij Van Holkema & Warendorf,
Unieboek BV, Postbus 97, 3990 DB Houten

www.unieboek.nl
www.jacquesvriens.nl

Tekst: Jacques Vriens
Tekeningen: Annet Schaap
Vormgeving: Petra Gerritsen

Inhoud

Het mutsmysterie

'Pepijn, wacht nou even!' roept Eefie.

Joost, die naast zijn zus rijdt, brult: 'Píjíjíjíjíjíjn, stóppen!'

Maar hun grote broer doet net of hij het niet hoort. Hij fietst een meter of twintig voor ze uit en rijdt stug door.

De kinderen zijn op weg naar het hotel van hun ouders, dat halverwege de heuvel ligt.

Meestal komen Eefie en Joost eerder thuis uit school dan hun grote broer, want die zit al op de havo in de stad.

Eefie remt af. 'Zou hij ziek zijn?'

Joost gaat ook langzamer rijden. 'Welnee. Hij is natuurlijk van school getrapt wegens lastig pubergedrag.'

'Vast niet,' antwoordt Eefie, 'want dan houden ze daar geen leerling meer over.'

'En het is woensdag,' zegt Joost verbaasd. 'Wij zijn vanmiddag vrij, maar op de havo heb je dat niet meer.'

Eefie zucht. 'Over anderhalf jaar ben ik ook mijn vrije middag kwijt als ik van de basisschool af ga.'

'Zielig,' antwoordt Joost met een snik in zijn stem.

'Jij hebt makkelijk praten, jochie,' protesteert Eefie. 'Jij bent pas een vijfde-groeper. Eigenlijk ben je nog een halve baby.'

'Dat is zo,' roept Joost trots, 'en deze halve baby mag nog héél lang genieten van zijn vrije woensdagmiddag. Én hij hoeft nog niet dat hele roteind naar de stad te fietsen. Nog vele járen rijdt deze halve baby 's morgens vanaf De Korenwolf naar zijn schooltje beneden in het dorp. En 's middags weer vrolijk terug.'

Eefie grinnikt. 'Nou… vrolijk? Volgens mij is dat terugrijden te veel voor de halve baby. Het laatste stuk lóópt de baby meestal naast zijn fiets.'

'Grom,' zegt Joost.

Eefie zet een flinke spurt in. 'Kom op, Joostje, dan gaan we Pepijn inhalen!'

'Pepijn is allang thuis!' roept Joost haar achterna.

Maar zijn zus trapt stevig door.

Joost wil afstappen, maar dan zegt hij stoer: 'Vooruit, Joostje, laat je niet kennen!' Hij gaat op zijn trappers staan en racet zo hard hij kan tegen de heuvel op. Het zweet gutst in straaltjes langs zijn gezicht, want het is al best warm voor de tijd van het jaar.

Eefie is verbaasd als Joost vlak na haar de parkeerplaats van hotel De Korenwolf op rijdt.

'Goed gedaan, Joostje!' roept ze enthousiast.

Joost steekt zijn armen in de lucht en brult: 'Yes, ai em de greetest beebie of de wuld.'

Eefie wijst naar het fietsenhok.

Pepijn komt er net uit en loopt naar de zijdeur van het hotel.

'Hoi, Pijn!' roept Joost.

Hun grote broer kijkt niet op of om en verdwijnt naar binnen.

'Meneer is chagrijnig,' zegt Eefie droog.

Joost legt zijn hand op het stuur van Eefie. 'Zag jij wat ík zag?'

'Wat dan?'

'Die muts.'

'Muts?'

'Ja, die gek heeft een muts op zijn kop. Bij dít weer.'

'Je hebt gelijk,' zegt Eefie. 'Pepijn draagt nooit een muts. Zelfs niet in de winter, want hij is altijd bang dat zijn kapsel geplet wordt.'

'Precies,' antwoordt Joost, 'onze huispuber doet er niet voor niks een halve kilo gel in.'

'Kom op,' roept Eefie, 'we gaan het vragen!'

'Het mutsmysterie,' zegt Joost plechtig. 'Dit verdient nader onderzoek.'

Ze zetten hun fiets weg en gaan ook door de zijdeur De Korenwolf binnen.

In het gangetje hangen ze hun jas op, en ze lopen door naar de keuken.

Daar is vader Jan druk in de weer met eieren bakken. Op de grote tafel naast het fornuis staan tien borden klaar met twee sneetjes brood op elk bord.

'Hoi, pap!' roepen Eefie en Joost tegelijkertijd en ze geven hun vader een zoen.

'Fijn dat jullie er zijn,' zegt hun vader gehaast. 'Willen jullie even helpen? Kees de kok is er nog niet. We hebben een stel wandelaars die allemaal een uitsmijter willen. Plak ham en kaas op elke snee en een blaadje sla en stukje tomaat ernaast.

Afwerken met een schepje koolsalade.'

'O nee,' kreunt Joost. 'Had Pepijn dat niet kunnen doen?'

Vader Jan tikt een ei in de pan en moppert: 'Hij hoorde niet eens wat ik vroeg. Marcheerde gewoon door naar het kantoortje.'

'Mét zijn muts op,' zegt Joost droog.

'Daar heb ik niet op gelet. Vooruit, kinderen, even helpen. Maak ik straks ook een lekkere uitsmijter voor jullie.'

'Hè, pap, moet dat nou?' zegt Joost.

Zijn vader kijkt hem streng aan. 'Niet zeuren!'

Eefie heeft ondertussen haar handen gewassen en gaat dan ham en kaas op de boterhammen leggen. Ze is er allang aan gewend dat ze af en toe moeten helpen.

Joost weet dat net zo goed, maar hij heeft meestal geen zin. Mopperend houdt hij zijn handen onder de kraan en pakt de bak met sla en tomaat.

De klapdeur naar de hal zwaait open en meneer Goemie stapt de keuken binnen.

Goemie is de oude kelner die in De Korenwolf werkt.

Als hij de kinderen ziet, zegt hij: 'Kijk eens aan, dat is nog eens wat anders dan een beetje rondhangen en grote mensen voor de voeten lopen.'

'We zijn heel braaf,' zegt Joost.

'Ja, nu wel, maar het is wel woensdagmiddag. En voor we het weten, maken jullie er weer een bende van. Met zo'n belachelijk toneelstuk. Of er komt weer een horde kinderen spelen die door het café rennen.'

Vader Jan neemt het op voor zijn kinderen. 'Meneer Goemie, ze doen heel erg hun best. Over vijf minuten kunnen de uitsmijters door, dankzij Eefie en Joost.'

'Goed,' bromt Goemie en hij sloft de keuken weer uit.

'Bestaat er ook puberteit voor bejaarden?' vraagt Joost.

'Hoezo?' vraagt Eefie.

'Omdat Goemie nét zo chagrijnig kan doen als Pepijn.'

10

Eefie knikt instemmend. 'Pepijn is af en toe goemie. Maar meneer Goemie is bijna altijd goemie... eh... knorrig.'

Joost begint de koolsalade op de borden te scheppen.

Vader Jan schuift de eerste eieren op de borden en zegt: 'Goemie werkt hier al veertig jaar. Hij is begonnen toen oma nog de baas was.'

'Was hij toen ook al goemie?' vraagt Joost.

'Tegen de klanten is hij altijd aardig. Maar hij kan nou eenmaal niet zo goed tegen kinderen.'

'Waarom niet?'

'Geen idee,' antwoordt zijn vader.

'Aha, het geheim van Goemie,' fluistert Joost met hese stem.

'Hoe zou hij zélf als kind zijn geweest?' vraagt Eefie.

Joost schiet in de lach en zegt: 'Vast een klein knorrig Goemietje.'

De kinderen zijn klaar met hun werkjes.

'Bedankt,' zegt vader Jan. 'Ik breng jullie zo een uitsmijter, of hebben jullie liever een omeletje?'

Daar hebben Joost en Eefie meer zin in.

Ze lopen vanuit de keuken het kantoortje binnen. Daar zit Pepijn in de luie stoel met de muts op zijn hoofd. Zijn kleine zus Nina zit bij hem op schoot.

Nina zit in de kleutergroep en is door moeder Els met de auto van school gehaald.

'Hoi, guppen!' roept Pepijn tegen Joost en Eefie.

'Hoi, guppen!' roept Nina.

Pepijn kietelt zijn kleine zus. 'En wie is hier de grootste gup?'

Nina schatert het uit.

'Goed zo,' roept Pepijn, 'nu lach je tenminste weer!'

Nina trekt een boos gezicht en moppert: 'Ik heb een nieuwe juf en die is stom!'

'Waarom?' vraagt Eefie.

'Ze is een kattenkop. Ik ga niet meer naar school tot mijn eigen juffie terug is.'
'Jouw eigen juf is toch die kleine dikke?'
Nina knikt.
'O ja,' roept Pepijn enthousiast, 'daar heb ik ook nog bij gezeten. Die sliste zo leuk. Dan zei ze: "Sjtil, kinderen, rusjtig op je sjtoeltje sjitten."'
Eefie vraagt: 'Nina, waarom is jouw eigen juf er niet?'
Voor Nina kan antwoorden, roept Pepijn: 'Die moet een kind werpen.'
'Wát moet ze?' vraagt Joost verbaasd.

'Ze krijgt een baby'tje,' antwoordt Nina.
'Hè, Pepijn,' zegt Eefie, 'dat heet toch geen "werpen". Zo noem je dat bij dieren, maar toch niet bij mensen.'
Pepijn haalt zijn schouders op. 'Kleuterjuffen zijn volgens mij een bijzondere diersoort. In elk geval deze. Want wát is ze ook alweer, Nina?'
'Een kattenkop,' zegt Nina met een verbeten gezicht.

'Zie je wel?' roept Pepijn triomfantelijk. 'Toch een bijsjon dere diersjoort.'

'En hoe heet ze?' vraagt Eefie.

'Juf Katja,' antwoordt Nina.

'Ha,' roept Pepijn, 'juf Katjakop!'

Daar kan zelfs kleine Nina om lachen.

Joost staart ondertussen naar de muts van Pepijn.

'Wat kijk je nou de hele tijd, broertje?' vraagt Pepijn. Joost pakt een leeg koffiekopje van de tafel en houdt dat voor zijn mond. Hij speelt weer eens voor verslaggever bij de radio. Dat doet hij wel vaker.

'Luisteraars, hier is hij weer, uw eigen Joost Maassen van Radio Korenwolf met het laatste nieuws. Nina Maassen wil niet meer naar school, want ze heeft een andere juf omdat haar eigen juf moet smijten.'

'Werpen!' roept Pepijn.

'Kortom, luisteraars,' gaat Joost verder, 'ze krijgt een baby. Maar er is nog meer nieuws! De bekende puber Pepijn Maassen draagt ineens een muts. Ja, u hoort het goed, luisteraars, terwijl Pepijn Maassen nog nooit heeft gemutst. Dit vanwege zijn unieke kapsel. Daarom vragen wij aan de bekende puber: waarom mutst u ineens?'

Pepijn pakt het kopje uit de hand van Joost en zegt op dezelfde radiotoon: 'Beste luisteraars, hier spreekt puber Pepijn. Ik heb een geheim en dat wilde ik nog even bewaren. Of liever gezegd: onder de muts houden. Maar nu mogen jullie het wel weten.' En met een zwierig gebaar trekt Pepijn de muts van zijn hoofd en roept: 'Tétteretéééé!'

Het blijft even stil en dan zegt Eefie: 'O nee, hè!'

Joost roept: 'Gaaf!'

En kleine Nina juicht: 'Lief!'

Pepijn is helemaal kaal.

Vies en eng

Eefie, Joost en Nina staren met grote ogen naar het kale hoofd van Pepijn.

Dan giechelt Nina: 'Helemaal bloot.'

'Hoe vinden jullie het?' vraagt Pepijn enthousiast.

'Mmmm…' antwoordt Eefie.

'Wat nou "Mmmm"?'

'Ik moet eraan wennen.'

'Ik niet,' zegt Joost. 'Ik wil het net zo.'

'Jaaah!' roept Nina. 'Ik ook!'

Eefie ploft neer in de stoel bij het bureau van haar vader. 'Als jullie dát doen, worden pap en mam helemaal gek.'

'Waarom?' vraagt kleine Nina.

'Waarom?' herhaalt Joost met een brede grijns, want hij weet heel goed wat Eefie bedoelt.

Pepijn doet er nog een schepje bovenop en zegt met een onschuldig gezicht: 'Ja, waarom eigenlijk?'

'Doe niet zo onnozel!' roept Eefie verontwaardigd. 'Dat weet je donders goed. Je hield niet voor niks die muts op je kop toen je langs pap liep.'

Pepijn haalt zijn schouders op. 'Nee, hoor, die ouwe mag mijn hoofd best zien.' Hij doet zijn best om zo onverschillig mogelijk te klinken.

'Daar geloof ik geen snars van. Pap en mam vonden je vorige kapsel met die gel en die groene verf al helemaal niks. Dit vinden ze vast nog… eh… nikser.'

'Ze zullen eraan moeten wennen,' antwoordt Pepijn grimmig.
'Je lijkt zo wel een beetje op meneer Goemie,' zegt Joost.
'Die is ook bijna kaal. Zullen we je "Goemie de Tweede" noemen?'
'Als je dat maar laat. Trouwens, Goemie heeft nog haren op zijn hoofd.'
'Drie,' zegt Eefie, 'en in zijn nek nog een klein matje.'
De keukendeur gaat open en vader Jan kijkt om een hoekje.
'Over vijf minuten zijn jullie omeletjes klaar. Ik breng ze wel even.'
'We komen ze wel halen,' roept Joost gauw.
Vader Jan is alweer verdwenen en Joost fluistert: 'Dan stellen we de ontploffing nog even uit. Hij heeft gelukkig nog niets gezien.'

15

Dan gaat de deur naar het café open en meneer Goemie komt het kantoortje binnen.

'Oei,' fluistert Eefie.

'Ik moet een nieuwe blocnote hebben,' zegt meneer Goemie, 'om bestellingen te noteren.' Hij loopt naar het bureautje in de hoek. 'Ga eens weg,' bromt hij tegen Eefie, die nog steeds bij het bureautje zit.

Eefie staat snel op.

Goemie trekt een la open en haalt er een blocnote uit. Ondertussen pruttelt hij: 'Áltijd maar in de weg zitten. Is het niet hier, dan is het wel in de gang of in het café . Ik snap niet dat jullie ouders jullie niet naar kostschool stu…' Verder komt hij niet. Zijn mond blijft openhangen en hij laat de blocnote op de grond vallen. Geschrokken kijkt hij naar Pepijn, of liever gezegd naar Pepijns hoofd.

Pepijn vraagt vriendelijk: 'En wat vindt ú ervan, meneer Goemie?'

'Dit… dit…' stamelt Goemie verontwaardigd, 'dit… dit is héél erg. Wat moeten onze gasten wel denken? Zo'n vieze kale enge kop.'

Kleine Nina springt van de schoot van Pepijn en gaat voor Goemie staan. Ze zet haar handjes in de zij en roept boos: 'U hebt óók een kale kop, hoor!'

Eefie duikt naar de grond en raapt de blocnote op. Ze hoopt maar dat Goemie niet in de gaten heeft dat ze moet lachen. Joost proest het ook uit. Hij haalt gauw een zakdoek uit zijn zak en doet alsof hij zijn neus snuit.

Goemie aait even met zijn hand over zijn hoofd en bromt: 'Ik heb nog genoeg haren.'

'Drie!' zegt Nina.

Pepijn komt overeind uit de luie stoel. Hij loopt naar zijn kleine zus en tilt haar op. 'Zeg, gup, ik vind het heel lief dat je voor me opkomt. Maar je mag niet zo brutaal doen tegen meneer Goemie.'

'Maar hij zegt dat jouw kop vies is,' roept Nina.

'Dat komt omdat meneer Goemie nog een beetje ouderwets is.'

De vinger van Goemie priemt in de richting van Pepijns hoofd. 'Dát is niet ouderwets, dat is gewoon vies, jongen.'

'Nou zegt hij het wéér,' roept Nina boos.

Eefie geeft de blocnote aan Goemie in de hoop dat hij gauw weggaat.

'Dank je,' gromt Goemie en hij vertrekt naar de keuken.

'Oei,' zegt Joost, 'nou gaat hij het aan pap vertellen. Snel de schuilkelder in.'

De kinderen kijken elkaar aan.

Met een klap vliegt de deur naar de keuken open. Vader Jan stormt het kantoortje binnen. Hij blijft voor Pepijn staan. 'Wat krijgen we nou?'

'Gewoon,' antwoordt Pepijn, 'ik ben naar de kapper geweest.'

'Hoe haal je het in je hoofd!' roept zijn vader boos.

'Óp je hoofd,' zegt Nina.

'Hou je brutale mond!'

Nina begint te huilen en stort zich in de armen van Eefie. Ze vindt het verschrikkelijk als iemand kwaad op haar wordt.

17

Moeder Els komt vanuit het café het kantoortje binnen. 'Wat maken jullie toch een kabaal. Er zijn gasten.'

Vader Jan snuift als een stier en wijst naar Pepijn. 'Els, moet je zien wat onze oudste zoon nu weer heeft bedacht! Ik vond die groene haren al te ver gaan, maar dit is helemaal belachelijk.'

Moeder Els kijkt geschrokken naar Pepijn. 'Jeetje, Pepijn, waarom heb je dat gedaan?'

'Dat wil ik best uitleggen, maar niet als pap en Goemie zo achterlijk doen.'

'Achterlijk?' brult vader Jan. 'Wie doet er hier achterlijk? Vooruit, uit mijn ogen.'

Pepijn wil het café in lopen.

'Nee,' roept vader Jan, 'niet door de zaak.'

Pepijn trekt de muts over zijn oren en verdwijnt het café in, terwijl hij gromt: 'Ach, man, barst!'

Zijn vader wil hem achternagaan, maar moeder Els houdt hem tegen. 'Rustig nou, Jan. Ik vind het net zo goed niks, maar het heeft geen enkele zin het nog erger te maken. Ik ga straks wel met hem praten.'

Vader Jan zakt wanhopig neer op zijn bureaustoel. 'Wat moeten we toch met die jongen? Hij is de laatste tijd weer zo lastig. Vorige week nog dat slechte rapport en nou dit weer.'

Eefie en Joost weten heel goed wat pap bedoelt.

Pepijn was thuisgekomen met twee vijven en een vier. Vader Jan had hem flink op zijn kop gegeven. Maar toen had Pepijn geroepen: 'Ach, man, bemoei je er niet mee! Je snapt helemaal niks van kinderen.'

Daarna was het alleen maar erger geworden. Pepijn moest voor straf het hele weekend op zijn kamer blijven. Gelukkig had moeder Els haar man weten te kalmeren en mocht Pepijn zondagmiddag weer naar buiten.

Het blijft even stil in het kantoortje.

Alleen het zachte gesnik van Nina is te horen.

Vader Jan staat op en loopt naar Nina toe. Hij kan er niet tegen als zijn jongste dochter huilt. 'Sorry, schatje,' zegt hij.

Met betraande ogen kijkt Nina hem aan en ze snikt: 'Papa, ik ga niet meer naar school. Mijn ouwe juf moet werpen en mijn nieuwe juf is een Katjakop.'

Verbaasd kijkt vader Jan naar moeder Els. Die zegt gauw: 'Ik leg het straks wel uit, Jan.'

'En toch ga ik niet meer naar school,' houdt Nina vol.

'Nina, hou op,' zegt moeder Els, 'nu even niet.'

Ineens ruiken ze allemaal een brandlucht.

'Mijn omeletten!' roept vader Jan en hij rent de keuken in.

'Wat een toestand,' zegt moeder Els hoofdschuddend. 'Waarom doet Pepijn zoiets? Als hij het nou van tevoren gezegd had.'

'Hadden jullie het dan wel goedgevonden?' vraagt Eefie.
'Ja… eh… nee, natuurlijk niet. Maar dan had ik pap kunnen voorbereiden. Als Pepijn iets in zijn hoofd heeft, doet hij het toch.'
'Ik wil ook zo'n kale kop,' zegt kleine Nina, 'en dan ga ik wel naar school. Laat ik juf Katjakop schrikken.'
'Als je dat maar uit je hoofd laat,' verzucht moeder Els.
'Ván je hoofd,' grinnikt Joost.
'Ik heb honger, mam,' zegt Eefie. 'Die omeletten waren voor ons.'
'Gaan jullie maar naar oma. Die smeert wel een paar boter-hammen voor jullie.'
'Jaaah,' juicht Nina, 'met hagelslag!' Ze weet dat oma altijd flink uitschiet met de hagelslag.
'En blijf voorlopig maar boven.'
'Waarom?' vraagt kleine Nina.
Eefie trekt haar mee. 'Kom nou maar.'
Even later lopen de kinderen de twee trappen op naar de bovenste verdieping van De Korenwolf. Daar heeft oma haar eigen flatje en daar zijn ook de slaapkamers van de rest van de familie.
'Weet je waar ik nou ontzettend benieuwd naar ben?' zegt Joost als ze voor de deur van oma's kamer staan.
'Wat?' vragen Eefie en Nina tegelijkertijd.
'Wat oma vindt van het nieuwe kapsel van Pepijn.'

Oma

Eefie klopt op de deur van oma en roept: 'Wij zijn het!'
'Kom erin, kinderen!' Oma vindt het altijd gezellig als haar kleinkinderen langskomen.
Ooit is oma samen met opa het hotel begonnen. Opa is al een hele tijd geleden doodgegaan, en inmiddels zijn vader Jan en moeder Els er de baas. Oma hoeft niet meer mee te helpen. Dat vindt ze heerlijk, en de kinderen zijn er ook blij mee. Ze kunnen altijd bij hun oma terecht als hun ouders geen tijd hebben. Daarom is oma erelid van de bende van De Korenwolf.
Als Eefie, Joost en Nina de kamer binnen stappen, zit oma in haar grote leunstoel een boek te lezen. Pepijn is er niet.
Joost fluistert tegen Eefie: 'Hij durft hier niet te komen.'
'Gezellig!' zegt oma meteen.
'Ja, gezellig!' roept Nina.
De kamer van oma ziet er heel knus uit. Overal hangen foto's en schilderijtjes en staan beeldjes. En er brandt altijd wel een schemerlampje. De ramen van oma's kamer zijn nogal klein en daardoor is er niet zo veel licht. Maar oma vindt dat juist prettig.
'We hebben honger,' zegt Joost, 'want pap heeft onze omeletten laten aanbranden.'
'En hij was zelf aangebrand,' zegt Eefie. 'Pap is heel erg goemie vandaag.'
'Wát is hij?' vraagt oma.
'Knorrig.'

'Daar heeft hij vaker last van,' zegt oma lachend. 'Maar als het erop aankomt, is het een schat.' Oma kent vader Jan door en door, want het is haar eigen zoon.

'Oma, ik ga niet meer naar school,' zegt Nina.

'Zo, kind, dat is heel wat. En kom je dan gezellig de hele dag bij mij zitten?'

'Ja, natuurlijk.'

Eefie vertelt oma wat er aan de hand is.

Oma kijkt Nina ernstig aan. 'Ik snap het heel goed, lieverdje. Ik moest vroeger ook heel erg wennen als ik een nieuwe juf kreeg. Maar als het baby'tje er is, komt je eigen juf weer terug. We hebben het er nog wel over. Eerst ik ga brood voor jullie maken.' Langzaam komt oma overeind uit haar stoel. Ze pakt haar stok en loopt naar het keukentje. 'Wat willen jullie erop?'

'Worst!' roept Joost.

'Hagelslag!' roept kleine Nina.

Eefie gaat achter haar oma aan. 'Ik zal u even helpen.'

'Fijn, en vertel eens: is Jan aangebrand omdat Nina niet naar school wil? Dat zal toch niet.'

Voor Eefie antwoord kan geven, staat Joost in de deuropening van de keuken. Hij houdt een vaasje vlak voor zijn mond en zegt: 'Nee, oma, het is iets heel anders.'

'Aha,' roept oma enthousiast, 'we krijgen een uitzending van Radio Korenwolf. Laat maar horen.'

Kleine Nina glipt langs Joost het keukentje in. Ze vindt het altijd grappig als Joost voor verslaggever speelt.

Joost barst meteen los: 'Hier is hij weer, uw eigen verslaggever van Radio Korenwolf. En vandaag brengen wij u het laatste nieuws over het mutsmysterie.'

'Het wát?' vraagt oma.

'Het mutsmysterie, beste luisteraars. Want de bekende puber Pepijn Maassen kwam vandaag thuis met een muts op zijn hoofd, terwijl hij anders nooit zo'n ding draagt. Zijn geliefde

familieleden waren bloednieuwsgierig wat er onder de muts
zou zitten. En wat bleek, luisteraars: er zat helemaal níéts
onder. Totalie notting, voor onze Engelse luisteraars.'
'Ik snap het niet,' zegt oma, terwijl ze hagelslag strooit over
de boterham van Nina.
'Kaal, oma,' zegt Eefie, 'hij is helemaal kaal.'
Verbaasd kijkt oma haar aan en ze vergeet dat ze staat te
strooien.
'Jaaah,' juicht kleine Nina, als er een berg hagelslag op haar
boterham belandt.
'Oeps,' roept oma en ze houdt gauw het pak recht.
Oma smeert nog een snee brood en giet wat hagelslag over
van de ene boterham naar de andere.
'Jammer,' zegt Nina.
'Zo zo,' zegt oma, 'helemaal kaal, net als opa vroeger.'

'O ja, natuurlijk,' zegt Eefie. Ze heeft opa nooit gekend, maar op het tafeltje naast oma's stoel staat een foto van hem.

'Schoor opa zijn hoofd ook kaal?' vraagt Joost.

'In het begin niet,' antwoordt oma. 'Maar hij was nog vrij jong toen hij al kaal begon te worden. Op het laatst had hij nog maar weinig haar over. Een paar sprieten en hier en daar wat dons. Vanaf die tijd schoor hij alles eraf. Had hij ineens een mooie kale knikker. Ik gaf er altijd een kusje op. Het was zo'n lieverd, jullie opa.'

Oma staart even voor zich uit, en dan zien de kinderen dat er tranen in haar ogen staan.

'Moet je huilen?' vraagt Nina.

Oma veegt gauw de tranen weg. 'Het is al goed, maar ik mis hem nog elke dag.'

'Jammer dat ik hem nooit gekend heb,' zegt Eefie.

'Jij was pas twee jaar toen hij doodging. Dat weet je niet meer. Maar opa heeft jou nog wel op schoot gehad. En hij was maar wat trots op zijn kleindochter. Maar Pepijn kan hem zich nog wel herinneren. Die was toen al vijf.'

'Nou en of!' roept een stem vanuit de huiskamer. Het is Pepijn, die ondertussen is binnengekomen. Mét zijn muts op.

Oma en de kinderen lopen met hun bord in de hand naar binnen.

'Opa was een grappige man,' zegt Pepijn. 'We speelden altijd "sloffendiefje". Dan deed hij alsof hij sliep en dan moest ik proberen stiekem zijn sloffen uit te trekken. En dan kwam hij me achterna.'

Oma kijkt met een ondeugend gezicht naar de muts van haar grote kleinzoon en zegt: 'En opa was ook kaal.'

Pepijn laat zich neervallen op de bank en trekt zijn muts af.

Oma loopt naar hem toe en geeft een zoen op Pepijns kale hoofd.

'Vindt u het dan niet erg?' vraagt Pepijn verrast.

'Je bent wel een beetje jong voor zo'n koppie, maar ik vind
het wel lief. Het doet me aan opa denken.'
Pepijn geeft zijn oma een knuffel en roept: 'Wat bent u toch
een schat! Pap werd meteen overspannen van mijn kale kop
en Goemie riep dat ik vies was.'
Nina zegt met volle mond: 'Woemie isj een worrewot.'
'Wat is Goemie?' vraagt oma en ze gaat weer in haar luie
stoel zitten.
Nina slikt even en roept: 'Een knorrepot.'
'Ik wilde het juist over hem hebben,' zegt oma. 'Heel binnen-
kort werkt meneer Goemie veertig jaar in De Korenwolf. We
willen een feest voor hem geven. En nou dacht ik zo: het is
leuk als jullie een toneelstuk voor hem opvoeren.'

De kinderen kijken elkaar aan. Een toneelstuk voor meneer
Goemie…
'Ik weet niet of ik dat wel wil,' zegt Eefie heel eerlijk.
'Ik ook niet,' zegt Joost.
'Ik wél,' roept Nina, 'en dan doe ik mijn prinsessenjurk aan.'
'En jij, Pepijn?' vraagt oma.
'Ik hou niet van toneelspelen, oma, dat weet u.'

Nina roept: 'Maar jij kunt heel goed boef spelen, hoor!'
'Nou en of,' zegt Joost, 'net als laatst in dat toneelstuk over de
ontvoering van de zwarte prinses. En dan zorg ik weer voor
het licht op het toneel.'
'Dus jij wilt ook, Joost?' vraagt oma.
'Nou…' Joost aarzelt. 'Ik weet niet… eh… Misschien kunnen we Goemie een keer aan het lachen krijgen.'
'Dat zou dan voor het eerst in veertig jaar zijn,' zegt Pepijn
droog.

Oma schudt haar hoofd. 'Dat valt wel mee, hoor. Meneer Goemie is nou eenmaal niet zo'n lachebekje. Maar als het jullie lukt om hem te laten lachen, zou dat geweldig zijn. Dan zijn jullie écht goede toneelspelers.'

Pepijn grinnikt. 'U zit ons mooi om te lullen, hè, omaatje van me.'

'Zo zou ik het niet willen noemen, Pepijn. Ik wil jullie gewoon overhalen.'

'Wanneer is dat feest voor ons lachebekje?' vraagt Eefie.

'Aanstaande maandag.'

'Dan al!' roept Joost geschrokken. 'Dat is over vijf dagen. Waarom hebt u het ons niet eerder verteld, oma?'

'Omdat het een verrassing voor meneer Goemie moet zijn. We waren bang dat jullie per ongeluk je mond voorbij zouden praten. Maar nu weten jullie het. En we zeggen het pas tegen hem op de dag zelf.'

'En zal hij het dan leuk vinden?' vraagt Eefie.

Oma aarzelt. 'Tja... ik heb het voorzichtig met hem besproken, maar hij wil helemaal geen feest.'

'Zie je wel?' zegt Joost. 'Knorrige kelners feesten niet.'

'Maar er is nóg iets,' zegt oma, 'en ik denk dat hij dát wel fijn vindt. Meneer Goemie krijgt een ridderorde van de koningin.'

'Komt de koningin?' vraagt Nina en ze begint helemaal te stralen.

'Nee, dat kan niet, maar de burgemeester zal hem de ridderorde opspelden.'

'Wat is dat dan,' vraagt Nina, 'een ridderorde?'

'Dat is een soort medaille die hij verdiend heeft omdat hij al zo lang bij ons werkt. Daar wordt hij vast heel vrolijk van. En natuurlijk van jullie toneelstuk. Maar het móét een verrassing voor hem zijn.'

'Goed,' zegt Eefie, 'ik doe mee.'

Maar Nina zegt: 'Ik speel alleen mee als de koningin komt.'

Oma lacht. 'Dat kan echt niet, lieverdje. De koningin heeft het erg druk. Maar de burgemeester is net zo goed een belangrijk persoon.'

'Ik wil de koningin,' zeurt Nina.

'Jammer,' zegt Eefie met een grijns, 'nou kan het toneelstuk niet doorgaan.'

'Jawel,' roept Nina, 'ik wil spelen!'

'Goed zo,' zegt oma. 'En wat doe jij, Pepijn?'

'Oké, een klein rolletje, omdat u het zo graag wilt.'

'Jullie zijn schatten, alle vier.'

Pepijn legt zijn arm om de schouder van zijn oma. 'Het is u weer gelukt, hè? U hebt ons weer mooi omgelu... overgehaald.'

'We kunnen ook een lied zingen,' stelt Eefie voor.

'Dan speel ik gitaar,' zegt Pepijn. 'Dat wordt dan mijn rolletje.'

Joost protesteert. 'Dan kom je er wel érg gemakkelijk vanaf, Pepijn Maassen.'

Er wordt op de deur geklopt.

'Binnen,' roept oma.

De deur zwaait open en vader Jan stapt de kamer in. 'Aha,' roept hij boos, 'hier zit die kale!'

Laila

Pepijn zet snel zijn muts op.
Oma legt een hand op zijn arm en fluistert: 'Maak nou geen ruzie, dan wordt het alleen maar erger.'
Het blijft even stil.
Vader Jan en Pepijn staren elkaar aan.
Kleine Nina roept angstig: 'Jullie moeten weer vrienden sluiten.'

Pepijn staat langzaam op. 'Pap, kunnen we even rustig praten. In mijn kamer.'
'Vooruit dan maar,' bromt vader Jan.
'Goed zo,' zegt oma tevreden.

Vader Jan loopt de kamer uit. Pepijn sjokt achter hem aan.
Bij de deur draait hij zich nog even om. Oma knikt hem
bemoedigend toe en Eefie steekt haar duim op.
Dan verdwijnt Pepijn ook de gang in. De deur blijft open-
staan.
'Zal ik gaan afluisteren?' stelt Joost voor.
'Hier blijven,' commandeert oma.
Eefie grinnikt. 'Als pap ontploft, horen we het zo toch wel.'
'Nu geen grapjes,' zegt oma.
Stil wachten oma en de kinderen af. Na een paar minuten
staat oma op uit haar luie stoel en loopt naar de deur.

'Foei, oma!' zegt Joost.

Oma blijft in de deuropening staan en luistert. Eén voor één komen de kinderen bij haar staan. Kleine Nina pakt de hand van oma vast en Eefie fluistert: 'Spannend.'

'Ja, luisteraars,' zegt Joost zacht, 'hier zijn we weer met de spannende avonturen van de aangebrande vader en de kale knikker. Hoe zal dit aflopen?'

Oma trekt even aan het oor van Joost. 'Ik zet Radio Korenwolf nú uit.'

Dan wordt de deur van Pepijns kamer opengerukt. Vader Jan stapt de gang in en roept boos: 'En dat schoolfeest kun je ook wel vergeten!'

Oma duwt de kinderen snel haar kamer in en fluistert: 'Hier blijven.' Daarna loopt ze naar haar zoon, die meteen losbarst: 'Die jongen is werkelijk onmogelijk! Ik wil dat hij zijn haren weer laat groeien, nu onmiddellijk. Maar hij weigert gewoon. Wat moeten de gasten wel denken?'

'Jan, luister,' zegt oma heel rustig, 'dit gaat vanzelf weer over. Dit soort dingen doen kinderen nou eenmaal op die leeftijd.'

'Weer over?' zegt vader Jan en hij doet zijn best niet te schreeuwen tegen zijn moeder.

'Natuurlijk gaat het over,' zegt oma.

'O ja? Dat dachten we van die belachelijke groene haren ook. En nu krijgen we dit. Wat is het volgende? Dat hij in zijn blote kont naar school gaat?'

Oma schiet in de lach. 'Jan, doe niet zo mal. Ik zal wel met Pepijn praten. Hij kan toch hier in huis zijn muts ophouden.'

'Loopt hij de hele dag met een muts op zijn kop! Denken de gasten dat het hier te koud is. Mooie reclame voor ons hotel.'

'Ik brei wel iets leuks voor hem,' zegt oma. 'Je ziet op tv vaak genoeg jonge mensen met van die grappige mutsjes op.'

31

'Neem het maar weer op voor die jongen,' moppert vader Jan. 'U bent altijd op de hand van de kinderen.'

In de kamer van oma kijken de kinderen elkaar aan.

En Eefie fluistert: 'Stroopwafel!' Dat is het geheime wachtwoord van de bende van De Korenwolf.

Ze horen hun vader de trap aflopen terwijl hij hardop moppert: 'Het moet maar eens afgelopen zijn met dat dwarse pubergedoe.'

Oma komt haar kamer weer in. 'Wat een drukte over niks,' zegt ze met een zucht.

'Nou... niks,' zegt Joost.

Maar Nina is het helemaal met oma eens. 'Ja, hoor, want Pepijntje heeft niks op zijn kop.'

'Het is tijd voor een stroopwafel,' zegt oma.

Eefie pakt de trommel en deelt uit. 'Zal ik Pepijn er eentje brengen?'

Oma knikt. 'Doe maar en vraag of hij komt.'

Eefie loopt naar Pepijns kamer en klopt aan. 'Pepijn, ik ben het.'

Het blijft stil in de kamer.

Voorzichtig maakt Eefie de deur open. Haar grote broer zit op de rand van zijn bed. Zijn ogen zijn rood van het huilen.

'Oma vraagt naar je,' zegt Eefie.

'Straks,' antwoordt Pepijn kortaf.

'Zal ik even bij je komen zitten?'

'Je doet maar wat je niet laten kunt.'

Eefie doet de deur achter zich dicht. Ze schuift naast Pepijn op bed en houdt hem de trommel met stroopwafels voor.

Pepijn schudt zijn hoofd.

Dan vertelt Eefie over oma, die een mutsje voor hem wil breien.

'Lief van oma,' zegt Pepijn.

Ze zitten een hele tijd stil naast elkaar.

Ineens zegt Pepijn: 'Eef, ik mag niet naar het schoolfeest van die ouwe. Vanwege mijn rapport én natuurlijk dit.' Hij wijst naar zijn hoofd.

'Dat is gemeen,' zegt Eefie. Ze weet dat haar broer komende zaterdag een feest heeft waar hij heel graag naartoe wil.

'Ik ga toch!' zegt Pepijn grimmig. 'Dat heb ik Laila beloofd.'

'Laila?' vraagt Eefie verwonderd. 'Heb je weer een nieuwe vriendin?'

'Ja, en ik wil geen flauwe opmerkingen horen, anders kun je meteen vertrekken.'

'Is ze leuk, die Laila?'

'Ik weet wat je denkt, zus. Zeker weer een van die liefjes van Pepijn. Maar deze keer is het echt.'

Dat denkt Eefie inderdaad, maar ze vraagt: 'Wat vindt ze van jouw hoofd?'

'Stoer, ik heb het juist voor haar gedaan.'

Daar moet Eefie over nadenken. Jezelf helemaal kaal laten scheren voor een meisje, dat is nogal wat. Pepijn moet het flink te pakken hebben van haar, anders zou hij niet zo gek zijn.

'Zei die Laila dan: "Ik wil alleen verkering als je kaal bent?"' vraagt ze.

'Laila is ook kaal. Nou ja, bijna. Ze heeft korte stekeltjes. Zo horen we écht bij elkaar.'

'Best heftig,' zegt Eefie.

'Ik móét en zál naar dat schoolfeest. Ik weet bijna zeker dat we dan voor het eerst gaan zoenen.'

'Wauw!' roept Eefie. 'Hebben jullie dat nog niet gedaan?'

Pepijn kijkt haar streng aan. 'Je houdt hier verder je mond over dicht. Ik wil niet dat Joost en Nina dit weten. Die gaan alleen maar flauwe opmerkingen maken.'

'Beloofd,' zegt Eefie, 'maar ik zou het wel aan oma vertellen. Die kun je vertrouwen en die wil je vast helpen.'

'Goed, ik ga met je mee. Als jij dan Joost en Nina weglokt, kan ik rustig met oma praten.'

Wanneer ze bij oma binnenstappen, zit die al te breien.

'Het wordt een gaaf hoofddekseltje,' zegt Joost.

'Dat wil ik ook,' roept Nina, 'als ik straks kaal ben.'

'Niks daarvan,' zegt oma, 'één kale is genoeg.'

'Twee,' zegt Joost, 'want Goemie telt ook mee.'

Nina wijst naar de foto van opa en roept triomfantelijk: 'Drie!'

En ineens is iedereen weer vrolijk.

Kleuter Goemie...

Ze blijven nog even gezellig bij oma om hun brood op te eten. Ondertussen zit oma te breien aan de muts van Pepijn. 'Ik dacht zo,' zegt ze, 'ik maak van allemaal restjes wol een veelkleurig mutsje. Niet te groot. Het komt straks nét tot boven je oren. Dat lijkt me genoeg om Jan rustig te houden.'

En Joost stelt voor om er een 'clubmuts' van de bende van te maken.

'Jaaah!' roept kleine Nina, 'en dan doet oma er ook eentje op.'

'Dat zien we nog wel,' zegt oma. 'Eerst deze afmaken.'

Pepijn fluistert tegen Eefie: 'Neem je Joost en Nina mee?'

Eefie springt op. 'Kom, dan gaan we op mijn kamer een toneelstukje voor meneer Goemie bedenken.'

Daar hebben Joost en Nina wel zin in.

'Pijntje moet ook meedoen,' zegt Nina.

'Die komt straks,' antwoordt Eefie met een knipoog naar Pepijn. 'Hij wil nog eventjes naar zijn muts kijken. Hoe mooi die wordt.'

Joost trapt er niet in. 'Pepijn wil met oma kletsen over zijn puberproblemen. En daar mogen wij niet bij zijn.'

'Klopt,' zegt Pepijn pesterig, 'want daar ben jij nog te klein voor, Joostje Maassen.'

'Oóó,' zegt Joost, 'dan weet ik waar het over gaat, over een meid natuurlijk. Onze huispuber is weer eens verliefd. Is dit de zestigste of de tachtigste keer?'

Oma wijst naar de deur. 'En nu wegwezen, Joostje Maassen!'

Op de kamer van Eefie proberen de kinderen een toneelstuk te verzinnen over meneer Goemie. Maar dat valt niet mee. Wat voor leuks kun je nou bedenken over Goemie? Joost kan hem wel goed nadoen. Hij sloft door de kamer en zegt met boze stem: 'Altijd die vervelende kinderen. Dat loopt maar in de weg. En brutaal zijn ze ook nog. Én nu ook nog vies kaal!' Nina en Eefie vinden het grappig. 'Maar ik denk niet,' zegt Eefie, 'dat Goemie hierom kan lachen.'

Ineens heeft Joost een plan. 'We spelen wat jij vanmiddag in de keuken zei. Over toen Goemie nog klein was.'

'Goed idee,' zegt Eefie, 'en dan doen we net alsof hij als kleuter al kelner wilde worden.'

'Ik wil kleine Goemietje zijn,' roept Nina.

'Ja, dat is leuk,' zegt Joost.

'En dan is Eefie de mama van Goemietje,' zegt Nina.

'Nee, Pepijn wordt de mama,' stelt Joost voor. 'Die zetten we een pruik op en we doen hem een jurk aan. Dat vindt Goemie vast leuk.'

'Jaaah,' roept Nina, 'dan móét hij wel lachen.'

Eefie schudt haar hoofd. 'Dat doet Pepijn nooit. Echt niet! We moeten al blij zijn dat hij gitaar wil spelen.' Ze pakt een schrijfblok en een pen van haar bureautje. 'Laten we dus maar beginnen met een lied.'

De kinderen zwoegen een hele tijd op een tekst, maar ten slotte lukt het. Trots gaan ze naar oma en Pepijn om het lied te laten horen. Maar oma is alweer alleen.

'Pepijn zou toch naar ons toe komen,' zegt Joost verontwaardigd, 'als hij klaar was met dat gezeur over die meiden.'

'Dat is geen gezeur,' antwoordt oma streng, 'en Pepijn heeft het een beetje moeilijk. Laat hem nou maar. Nu wil ik jullie lied horen.'

De kinderen stellen zich op voor oma in haar leunstoel. Nina heeft een zwart jasje uit haar verkleedkist aangetrokken. En ze draagt een theedoek over haar arm. 'Ik ben kleine Goemietje,' zegt ze trots.

Dan beginnen de kinderen te zingen op de wijs van 'Op een klein stationnetje':

Heel lang geleden
toen Goemie kleuter was
wilde hij al kelner worden
in zo'n zwarte jas
hij speelde al voor ober
stond altijd voor ons klaar
en meneertje Goemie
doet dat al veertig jaar

Oma klapt heel hard als ze klaar zijn. 'Geweldig,' zegt ze. 'Dat zullen meneer en mevrouw Goemie prachtig vinden.'

'Is er ook een mevrouw Goemie?' vraagt Joost verbaasd. 'Die wil ik wel eens zien. Dat is vast net zo'n mopperkont.'

'Nee, hoor,' antwoordt oma, 'die is juist heel aardig.'

'Met zo'n man?'

'Jullie weten helemaal niet hoe meneer Goemie is als hij thuis is. Hij kan gewoon niet zo goed tegen kinderen, dat is alles. Vooruit, ik wil het lied nog eens horen.'

De kinderen barsten meteen los en Nina doet er nu ook nog een dansje bij.

Als ze klaar zijn, zegt oma: 'Ik weet zeker dat meneer Goemie hier heel vrolijk van wordt.'

Nina vertelt dat ze ook nog een toneelstukje doen over toen Goemie nog klein was. 'En Pijntje gaat de moeder spelen.'

'Laten we het hopen,' verzucht Eefie.

'Dan zal meneer Goemie helemaal moeten lachen,' zegt oma.

'Maar misschien kan hij helemaal niet lachen,' bedenkt Joost, 'omdat hij een gebit heeft. Dat ding kan natuurlijk niet in de lachstand.'

'Nounou,' protesteert oma, 'ik heb ook een gebit, hoor.'

'En u kunt wel lachen, hè, oma?' roept Nina en ze begint haar oma te kietelen. En die schatert het uit.

's Avonds klopt Eefie aan bij Pepijn. Joost en Nina liggen al in bed.

Haar grote broer zit huiswerk te maken. Als Eefie binnenkomt, gooit hij zijn pen neer. 'Dag, zus, ik word gek van die wiskundesommen. Alles zit tegen. Hoe kan ik die onvoldoendes op mijn rapport wegwerken als pap zo stom doet?'

Eefie gaat op zijn bed zitten en zegt: 'Én als je verliefd bent.'

'Dat lukt nog wel. Laila staat er ook niet zo best voor. Zij moet ook keihard werken om een paar onvoldoendes weg

te werken. We sturen elkaar elk uur een sms'je. Dat houdt de moed erin. Maar zij mag van haar ouders wél naar het feest.'

'Wat zei oma daarover?'

'Die zal nog met pap praten. Maar als ze hem niet kan overhalen, moet ik me erbij neerleggen van oma. Dan mag ik er geen ruzie meer over maken met die ouwe. Maar ik móét en zál naar dat feest!'

Eefie snapt het en zegt ernstig: 'De eerste zoen met Laila!'

Pepijn zet een paar woedende krassen in zijn schrift. 'Ik ga tóch.'

'Doe je dat echt?' vraagt Eefie bezorgd.

'Ja, en ik heb jouw hulp nodig.'

Dan vertelt Pepijn wat hij van plan is als zijn vader niet toegeeft. Ten slotte vraagt hij: 'Wil je me helpen?'

Eefie kijkt haar grote broer aan en antwoordt zacht: 'Daar moet ik over nadenken.'

'Dat snap ik, want als het misgaat, ben jij net zo goed de klos.'

'Dat ook, maar ik vind het vooral rot tegenover oma. Je hebt haar beloofd dat je niet gaat, als je echt niet mag van pap.'

'Oma heeft het voorgesteld,' antwoordt Pepijn fel, 'maar ik heb haar niets beloofd.'

'Toch…' sputtert Eefie tegen.

'Luister, Eef, ik weet precies hoe we het aanpakken. Er kan niks misgaan.'

'Ik weet het nog niet, echt niet.'

Pepijn komt naast haar zitten, pakt haar hand en knijpt er zachtjes in. 'Alsjeblieft,' zegt hij smekend, 'dit is heel belangrijk voor mij. Echt waar!'

Het blijft lang stil.

'Oké,' zegt Eefie ten slotte, 'als het écht nodig is, zal ik je helpen. Maar ik hoop dat het oma wél lukt om pap over te halen.'

Juf Katjakop

De volgende morgen zitten Nina, Eefie en Joost in het kantoortje aan het ontbijt. Pepijn is al weg. Hij vertrekt altijd vroeg, omdat hij naar zijn school in de stad moet fietsen.
Moeder Els is er ook.
Nina zit boos met haar armen over elkaar achter haar bord.
'Dooreten, Nina,' zegt moeder Els, 'anders kom je te laat op school.'
'Ik ga niet,' zegt Nina. 'Juf Katjakop is stom.'
'Toe nou, Nina, niet zo lastig doen. En ze heet trouwens juf Katja.'
Vader Jan komt het kantoortje binnen. 'Els, kom je? We moeten nog overleggen over hoe we het maandagmiddag gaan aanpakken met… eh… Je-weet-wel. Dadelijk komt die mevrouw van de gemeente om het een en ander te bespreken.'
'Want Je-weet-wel krijgt maandag een ridderorde,' zegt Joost, 'van de koningin, maar de burgemeester speldt hem op.'
'O, jullie hebben het al gehoord,' zegt vader Jan.
'Van oma, want wij moeten een toneelstuk doen voor Je-weet-wel.'
'Als jullie je mond maar houden tegen meneer Goemie, want die houdt absoluut niet van feesten. Als hij hoort wat we van plan zijn, dan komt hij misschien niet. Maar ik denk dat hij met die ridderorde wél blij zal zijn. Dat mag hij ook pas op het laatste moment weten. Zo hoort dat nu eenmaal, zei de burgemeester.'

41

'Ik wil ook niet,' zegt Nina.

'Wat wil je niet?' vraagt haar vader geërgerd.

'Naar school. En als ik toch moet, knip ik mijn hoofd kaal.'

Vader Jan zakt moedeloos op zijn bureaustoel. 'Wat krijgen we nou weer? Zijn we hier allemaal gek geworden? Pepijn weigert om zijn haar te laten groeien; Nina wil niet meer naar school en Je-weet-wel… eh… meneer Goemie wil geen feest. Is er toevallig iemand die voor de verandering nog wél iets wil?'

'Ja,' zegt Joost, 'ik wil nog een glas melk.'

Eefie proest het uit.

Vader Jan springt op en stampt het kantoortje uit, terwijl hij wanhopig roept: 'Zo langzamerhand maakt iederéén er hier een bende van!'

Nu wordt het ook moeder Els te gortig. 'Nina,' zegt ze streng, 'je eet je boterham op en dan ga je met Eefie en Joost mee naar school. Ik kan je vandaag niet wegbrengen, want die mevrouw van de gemeente komt zo. Je gaat bij Eefie achter op de fiets.'

'Ja maar, mam…' zeurt Nina.

'Niks, ja maar, je doet wat ik zeg! Afgelopen, uit!' En ook moeder Els loopt boos het kantoortje uit.

De kinderen kijken elkaar aan. Het komt bijna nooit voor dat hun moeder zo kwaad is.

Mokkend begint Nina haar boterham op te eten.

Eefie zegt: 'Oma heeft gisteren toch nog met je gepraat? Als die baby geboren is, komt jouw eigen juf gewoon weer terug.'

'Maar juf Katja is stom. Ze heeft me al twee keer naar de gang gestuurd omdat ik te veel klets.'

Eefie moet moeite doen om niet te lachen. Ze weet precies wat Nina bedoelt. En Joost zegt: 'Je bént ook een grote kwek, Nina Maassen.'

'Ik ben geen kwek, Joost Maassen.'

Eefie probeert Nina gerust te stellen. 'Nieuwe juffen zijn in het begin altijd streng. Dat gaat vanzelf over. Hou je maar een beetje rustig.'

'Dat kan ze niet,' zegt Joost.

Nina propt de rest van haar boterham naar binnen terwijl ze heel boos naar Joost kijkt.

Eefie staat op. 'Ik ga onze fietsen klaarzetten. Het is al keilaat.'

Ze loopt door de keuken naar het gangetje, trekt haar jas aan en doet haar rugzak om. Dan stapt ze door de achterdeur naar buiten. Ze haalt haar fiets en die van Joost uit het hok. Joost komt ook naar buiten.

'Waar is Nina?' vraagt Eefie.

'Die ging nog even naar mam en pap.'

'Nee, hè! We moeten opschieten.'

'Ze wilde het goedmaken, zei ze.'

Ongeduldig wachten de kinderen op hun kleine zus. Maar na vijf minuten is ze er nog steeds niet.

Nijdig struint Eefie het café in, waar haar ouders zitten.

'Is Nina hier?' vraagt Eefie.

'Nee,' antwoordt haar moeder.

'Zijn jullie nog niet weg?' vraagt haar vader verbaasd.

'We moeten wachten op Nina. Die wilde het eerst goedmaken met jullie.'

Met een zucht staat moeder Els op. 'Ze wil dus écht niet naar school. Je zult zien dat ze zich ergens verstopt heeft.'

'Nou ja!' roept vader Jan nijdig. 'Nou begint die kleine ook al. Dat is allemaal de schuld van Pepijn. Omdat hij zo dwars doet, gaat Nina hem gewoon nadoen.'

'Ik kijk wel onder het toneel,' zegt Eefie, 'daar verstopt ze zich vaker.' Ze rent het café uit en gaat door de hal naar de toneelzaal. Daar klimt ze het toneel op.

Aan de achterkant is een trap die naar de kleedkamers leidt onder het toneel. Maar daar is Nina niet.

Moeder Els komt achter Eefie aan. 'Gaan jullie nou maar naar school. Als ik haar vind, breng ik haar met wel de auto. Zeg dat maar tegen die juf Katjakop... eh... Katja. Dan moet papa maar alleen met die mevrouw van de gemeente praten.'

Even later racen Joost en Eefie de heuvel af naar hun school in Groesselt. Ze komen nog maar net op tijd.

Ondertussen zoeken moeder Els en vader Jan het hele hotel af. Nina is niet op haar eigen kamer en bij oma is ze ook niet.

Om negen uur stapt de mevrouw van de gemeente het café binnen, dus moeten ze de zoektocht staken. Maar oma belooft verder te zoeken.

Als meneer Goemie tegen halfelf verschijnt, is de vrouw al vertrokken, maar Nina is nog steeds onvindbaar.

Goemie trekt zijn jas uit in het gangetje en sjokt naar de hal. Hij wil uit de werkkast onder de trap een emmer en een schoon vaatdoekje pakken om de tafeltjes af te soppen.

In het café staan vader Jan en moeder Els bij elkaar. Ze vragen zich af waar Nina in 's hemelsnaam kan zijn.

Opeens klinkt er in de hal een keiharde vloek.

Moeder Els loopt er snel naartoe en ziet Goemie boos voor de werkkast staan. In de kast zit een huilende Nina op een emmer.

44

'Ik ben me een ongeluk geschrokken,' roept Goemie boos.
'Ik doe die deur open, en dan zit daar ineens dat kleine mor-
mel! Wat is dit voor onzin!'
'Ik ben geen mormel,' snikt Nina. 'Als u zo goemie doet,
krijgt u geen rid...'
'Stil maar,' roept moeder Els gauw en ze tilt haar jongste doch-
ter uit de kast. 'Wat doe je nou toch allemaal, lieverdje?'
Mopperend loopt Goemie weg.
Als Nina weer rustig is, brengt haar moeder haar naar
school. Daar praat ze een tijdje met juf Katja en die vraagt
daarna vriendelijk aan Nina: 'Zullen we vandaag proberen
om aardig tegen elkaar te zijn?'
Nina knikt.
'Nou, wat zeg je nou tegen de juf?' vraagt moeder Els.
'Niks,' antwoordt Nina, 'want ik hou de hele dag mijn mond
dicht.'

Ontsnapt

Op zaterdagavond zit Pepijn op zijn kamer. Oma heeft haar best gedaan, maar vader Jan hield voet bij stuk. 'Ik wil eerst een goed rapport zien,' zei hij, 'en dan praten we verder. Voorlopig géén schoolfeesten.'
Over het kale hoofd van Pepijn heeft hij niets meer gezegd. Dankzij het mutsje van oma én Kees de kok, die tegen vader Jan zei: 'Wat een grappig petje heeft Pepijn op zijn hoofd.'
Tegen negen uur sluipt Eefie naar de kamer van Pepijn. Nina slaapt al en Joost zit bij oma televisie te kijken.

Pepijn ziet er spannend uit. Hij is helemaal in het zwart gekleed.

'Luister, lieve zus,' zegt hij en zijn stem trilt een beetje. 'Ik vertrek over de brandtrap.'

Aan de buitenkant van het hotel zit een ijzeren trap die uitkomt naast de parkeerplaats. Op elke verdieping is een deur waardoor je op de trap kunt stappen. Zo wil Pepijn onopgemerkt verdwijnen.

'Weggaan is geen probleem,' gaat Pepijn verder, 'maar als ik vannacht thuiskom, wordt het lastig. Van buitenaf kun je die deur niet openmaken. Ik zorg dat ik om klokslag halftwee terug ben. Dan laat jij me stiekem binnen.'

'Goed,' zegt Eefie, 'ik zet mijn wekker om tien voor halftwee en zal er zijn.'

Pepijn geeft haar een knuffel en zegt: 'Je bent mijn allerliefste grote zus.'

Eefie grinnikt. 'Dat is makkelijk praten als je maar één grote zus hebt. Slijmerd!'

'Toch ben je de allerliefste. Als ik ooit iets voor jou kan doen, dan moet je het maar zeggen.'

'Goed, ik zal erover nadenken.'

Pepijn pakt zijn rugzak en haalt er iets uit. 'Moet je kijken, oma heeft voor Laila ook zo'n mutsje gebreid.'

'Te gek,' zegt Eefie.

Pepijn stopt de muts terug en hangt zijn rugzak om. 'Zo, ik ga. Kun jij even kijken of alles veilig is?'

Eefie wil naar de deur lopen, maar begint dan ineens te lachen.

'Wat is er?' vraagt Pepijn.

'Ik heb al bedacht wat je voor me kunt doen. Of eigenlijk voor een heleboel mensen kunt doen.'

Pepijn kijkt haar wantrouwig aan. 'Wat bedoel je?'

'We willen graag dat jij écht meespeelt in het toneelstuk voor Goemie. Dus niet alleen wat getingel op je gitaar.'

'En wat moet ik dan spelen?'

'Zijn moeder.'

Pepijn zakt neer op een stoel en kreunt: 'O nee, hè! De moeder van Goemie, dat doe je me niet aan!'

'Hoe laat moest ik vannacht die deur ook alweer opendoen?' vraagt Eefie met een poeslief stemmetje.

Pepijn kijkt woest naar zijn zus en gromt: 'Chantage! Je bent een valse heks.'

Eefie schiet in de lach. 'Dat gaat ook snel bij jou. Eerst de allerliefste zus en een minuut later een valse heks.'

'Ja, maar dit is gemeen! Ik hóú niet van toneelspelen.'

Eefie knikt. 'Dat weet ik, terwijl je het wél hartstikke goed kunt. Maar maak je geen zorgen, broertje. Ik zal er om halftwee zijn en over mama Goemie hebben we het nog wel.'

Eefie opent de deur en gluurt voorzichtig om een hoekje. 'Alles is veilig. Ga maar fijn zoenen met Laila.'

Pepijn glipt de gang in. Hij loopt op zijn tenen naar de deur van de brandtrap en verdwijnt naar buiten.

Eefie blijft even staan en ziet dat er op Pepijns kamerdeur een groot papier hangt: IK WIL VOORLOPIG GEEN MENS ZIEN! LAAT ME MET RUST! NIET BINNENKOMEN! VERBODEN TOEGANG!

Slim, denkt Eefie, zo houdt hij iedereen buiten en weet niemand dat hij weg is. Ze sluit gauw de kamerdeur.

Op dat moment komt oma de gang in. 'Hoe is het met Pepijn?'

Eefie voelt dat ze rood wordt. Gelukkig kijkt oma niet naar haar, maar naar het papier.

'Ik wilde even naar hem toe,' zegt oma, 'maar dat lijkt me nu niet verstandig.'

'Nee, doe maar niet,' zegt Eefie en haar stem klinkt een beetje schor. 'Hij ligt al in bed en wil alleen zijn.'

'Kom je nog even gezellig bij Joost en mij zitten?' vraagt oma. 'Ik heb lekkere hapjes gemaakt en we hebben cola en chips.'

'Ik kom zo,' antwoordt Eefie, 'ik trek vast mijn pyjama aan.'
En ze gaat snel haar eigen kamer binnen.
Daar ploft ze op haar bed. Ze vindt het maar moeilijk om
te liegen tegen oma. En ze denkt: Pepijn heeft mij er mooi
ingeluisd. Als pap en mam erachter komen, is ons hotel te
klein. En oma zal ook boos zijn. Dat wordt ze niet vaak,
maar als ze echt kwaad is, dan kun je je maar beter bergen.
Eefie heeft helemaal geen zin om naar oma's kamer te gaan.
Maar ze moet wel, anders krijgt oma vast iets in de gaten.
Stom, want het is bij oma altijd extra gezellig op zaterdagavond.
Langzaam kleedt ze zich uit en ze trekt haar pyjama aan.
Dan zucht ze een keer heel diep en zegt tegen zichzelf:
'Vooruit, Eef, je kunt toch óók zo goed toneelspelen. Zet je
niets-aan-de-hand-gezicht op en ga gezellig bij oma en Joost
op de bank zitten.'

Midden in de nacht…

Tegen elf uur 's avonds ligt Eefie pas in bed.
Eigenlijk mag ze op zaterdagavond tot tien uur opblijven.
En Joost tot halftien. Maar deze keer mochten ze van oma
nog een film afkijken. Het was een verhaal over een schip-
breuk van een gezin met drie kinderen. Na veel toestanden
wordt iedereen gered. Oma vond het ook spannend en ze
snapte heel goed dat haar kleinkinderen wilden weten hoe
het afliep.
Halverwege de film belde hun moeder van beneden. Ze
wilde weten of de kinderen al naar bed waren. 'Ja, hoor,' ant-

woordde oma heel rustig, 'ze zijn net gaan slapen.'

Toen oma de telefoon neerlegde, riep Joost: 'Wat bent u toch een gave oma, oma!'

'Niet verder vertellen,' zei oma, 'en we doen dit niet iedere week.'

Als Eefie eindelijk in bed ligt, denkt ze nog een hele tijd na. Wat is het soms ingewikkeld. Zíj heeft gelogen tegen oma over Pepijn. En oma liegt weer tegen hun moeder over haar en Joost. Maar als oma dat niet had gedaan, dan hadden ze de film niet kunnen afkijken.

En hoe zou het met Pepijn zijn? Zou hij al zoenen? Eefie hoopt van wel. Anders is alle moeite voor niks geweest.

Opeens denkt ze aan de wekker. Was ze hem toch nog bijna vergeten. Ze zet hem voor alle zekerheid op één uur. Dan bedenkt ze dat het ding nogal veel kabaal maakt. Ze legt hem naast zich onder haar dekbed en valt in slaap.

's Nachts, om tien over één, fietst Pepijn tegen de heuvel op naar hotel De Korenwolf. Of eigenlijk zweeft hij naar huis, want het is gelukt. Laila en hij hebben gezoend. Na het schoolfeest heeft hij haar thuisgebracht. Naast haar huis was een smal gangetje en daar hebben ze staan praten en zoenen. Hij had het alarm van zijn mobieltje aangezet, zodat hij niet te laat kon komen. Om kwart voor één, midden in een lange zoen, begon het ding te piepen. Na nog een laatste omhelzing is hij naar huis gefietst.

Hij trekt zijn mutsje zo ver mogelijk over zijn oren. Dat ding komt nu goed van pas, want het is best fris.

Even voor halftwee staat hij onder aan de brandtrap aan de zijkant van De Korenwolf. Het hele huis is donker. Alleen beneden in het café brandt nog een lamp. Die blijft 's nachts altijd aan.

Voetje voor voetje sluipt Pepijn naar boven. De trap is van ijzer en als je je schoenen iets te hard neerzet, galmt de hele

51

trap. Eén keer vergist hij zich en het klinkt alsof er iemand op een grote gong slaat. Met ingehouden adem blijft Pepijn staan en wacht. Maar er gebeurt verder niets en daarom gaat hij voorzichtig verder.

Bovenaan is een klein balkonnetje. Pepijn kijkt op zijn horloge. Hij is twee minuten te vroeg, daarom wacht hij even. Precies om halftwee klopt hij zachtjes op de deur.

Het blijft stil. Pepijn klopt nog een keer en fluistert: 'Eefie, ben je daar?' Er gebeurt niets.

'Nee, hè?' mompelt Pepijn. Moedeloos gaat hij op de bovenste tree van de trap zitten. Zou ze het vergeten zijn? Dat kan hij zich niet voorstellen. Als Eefie iets belooft, doet ze het ook. Met een angstig voorgevoel staart hij voor zich uit. De volle maan verlicht de heuvels en het bos aan de overkant van de weg.

Om vijf over halftwee tikt hij opnieuw op de deur. Dan hoort hij voetstappen aan de andere kant van de deur. Opgelucht haalt hij adem. De deur zwaait open en… hij kijkt in het gezicht van zijn vader. 'Wát heeft dit te betekenen?' fluistert zijn vader woedend.

'Eh… ik… eh…' stamelt Pepijn.

Vader Jan trekt hem aan zijn mouw de gang in.

Pepijn weet nog steeds niet wat hij moet zeggen.

Zijn vader doet de deur dicht en vraagt opnieuw: 'Wat is dit?'

'Ik… ik… ik ben naar school geweest.'

Nu kan vader Jan zich niet langer inhouden en hij brult: 'Ben je nou helemaal gek geworden!'

Dan pas ziet Pepijn dat zijn moeder er ook bij is. Die sist: 'Sssst, Jan, de gasten!'

Maar vader Jan is niet meer te houden. 'Meneer is tóch naar dat feest geweest!' schreeuwt hij. 'Terwijl ik dat ten strengste verboden heb!'

'Jan, alsjeblieft!' roept moeder Els.

Eefie komt met een slaperig hoofd haar kamer uit. Ze was boven op haar wekker gaan liggen en had per ongeluk het knopje van het alarm ingedrukt. Daarom is ze niet op tijd wakker geworden. Het lawaai op de gang heeft haar gewekt. Ze staart haar grote broer aan. Die maakt een wanhopig gebaar in haar richting.

'Sorry,' roept Eefie gauw.

'De maat is vol,' dondert vader Jan. 'Ik word stapelgek van die jongen. Het moet afgelopen zijn. Ik ga strenge maatregelen nemen.'

Inmiddels zijn ook Joost en Nina uit hun kamer gekomen.

'Pap, ik wil slapen,' kreunt Nina.

'Ik ook,' zegt Joost geeuwend.

'Naar bed jullie!' roept hun vader.

'Jan, stil nou toch!' probeert moeder Els weer.

Dan klinkt er van beneden de boze stem van een van de gasten. 'Wat is dit voor een idioot hotel? Welke gek staat daar zo te schreeuwen?'

En iemand anders roept: 'Er zijn hier mensen die willen slapen!'

Daardoor komt vader Jan tot bezinning. Met ingehouden woede zegt hij zacht: 'Morgen praten we verder.' Dan loopt hij de trap af om de gasten te kalmeren.

Pepijn gaat naar zijn kamer. Als hij langs Eefie loopt, snauwt hij: 'En bedánkt!'

Eefie wil achter hem aan gaan, maar hij gooit de deur voor haar neus dicht. Moeder Els pakt kleine Nina op en brengt haar naar bed. Joost en Eefie blijven in de gang staan. Ze horen hoe hun vader zich beneden verontschuldigt. 'Niets aan de hand, meneer en mevrouw, een van mijn kinderen had een nare droom.'

Joost, die nu helemaal wakker is, fluistert: 'Een nachtmerrie, ons pap die midden in de nacht staat te krijsen als een gek.'

Eefie kan wel janken. Dit is haar schuld. En ze snapt niet hoe haar ouders wisten dat Pepijn zo laat thuiskwam.

Als hun moeder weer terug is, vraagt Joost: 'Is Pepijn toch naar dat schoolfeest geweest?'

'Ja,' antwoordt moeder Els boos. 'Ik wilde gisteravond laat nog even naar hem toe gaan. Gewoon om hem te troosten, omdat hij het feest moest missen. Maar hij was er niet. Pap en ik hebben daarna geen oog meer dichtgedaan. Toen hoorden we iemand op de brandtrap.'

'Wat stom van hem,' zegt Joost. 'Hij weet toch dat je de deur naar de brandtrap aan de buitenkant niet open kan maken?'

'Ik snap het ook niet,' zegt moeder Els.

Eefie vertrekt treurig naar haar kamer. 'Ik ga weer slapen.'

Moeder Els knikt. 'We gaan allemaal weer naar bed. Morgen zien we wel verder.'

Eefie doet de deur achter zich dicht en ploft op bed. Ze voelt zich rot. Pepijn denkt dus dat ze het expres gedaan heeft. Ze moet hem laten weten dat het niet zo is.

Ze schrijft een briefje waarin ze uitlegt wat er met haar wekker is gebeurd. Dan luistert ze aan de deur. Na een minuut of vijf hoort ze vader Jan naar boven komen en de ouderslaapkamer binnen gaan. Ze wacht nog een hele tijd en sluipt dan op haar tenen naar de kamer van Pepijn. Het briefje duwt ze onder zijn deur door. Ze is nog maar net terug in haar eigen kamer als ze iets hoort in de gang.

Er sluipt nog iemand rond. Wie kan dat zijn? Bijna onhoorbaar loopt iemand langs haar kamer. Voorzichtig opent ze de deur en gluurt door een kiertje de gang in. Daar brandt altijd een klein lichtje. Dan ziet ze wie het is: Pepijn. Hij draagt een grote rugzak en onder zijn arm een opgerolde slaapzak en een deken. Hij sluipt de trap af naar de eerste verdieping, waar de hotelgasten slapen.

Hij gaat er dus weer vandoor, denkt Eefie geschrokken. Maar waarom deze keer níet over de brandtrap? Wat is Pepijn van plan?

Eefie wil net haar deur dichtdoen, als ze weer iets hoort. Het zachte getik van een stok. Ze weet meteen wie het is: oma! Die was natuurlijk allang wakker, maar heeft gewacht tot het stil was. Oma schuifelt naar de kamer van Pepijn en klopt heel zachtjes op de deur.

Eefie houdt het niet langer uit. Ze stapt ook de gang in en fluistert: 'Oma!'

Verbaasd draait haar oma zich om.

Eefie loopt op haar tenen naar haar toe en zegt zacht: 'Pepijn is weer weg.'

Hoofdschuddend pakt oma de hand van Eefie. 'Kom mee, naar mijn kamer.'

Even later zit Eefie bij oma op de bank met een beker thee en een stroopwafel. Ze vertelt eerlijk dat ze Pepijn wilde helpen om 's nachts weer binnen te komen. Als oma over de wekker hoort die niet afliep, moet ze zelfs een beetje lachen.

Gelukkig maar, denkt Eefie. Ze is dus niet boos dat Pepijn toch naar het feest is gegaan.

'Waar is die jongen nou weer heen?' vraagt oma.

Eefie haalt haar schouders op. 'Ik weet het niet, oma. Hij had wel een rugzak bij zich en een slaapzak en een deken.'

Oma denkt even na. 'Weglopen, dat doen pubers wel vaker. Misschien is het ook maar beter zo. Dan is er even geen geruzie tussen Pepijn en zijn vader.'

'Ja maar, oma, hij moet maandagavond wel terug zijn voor het feest van Goemie.'

Oma knikt instemmend. 'Dat moet hij zeker. Maar het is nog niet zover. Eerst gaan we lekker slapen.'

'Maar Pepijn dan, die loopt nu ergens buiten.'

'Maak je geen zorgen over die eigenwijze grote broer van je. Die loopt niet in zeven sloten tegelijk. Neem nog maar een stroopwafel, dat helpt tegen ongerustheid.'

Waar is Pepijn?

Op zondagochtend ontbijt de familie Maassen altijd gezamenlijk in het kantoortje. Oma komt er ook voor naar beneden. Hun moeder dekt dan uitgebreid de tafel en hun vader zorgt voor broodjes en croissants.

Meestal is het heel gezellig, maar deze keer niet. Zwijgend zit iedereen te eten. Tot vader Jan weer begint te mopperen. 'Het is toch niet te geloven! Weglopen, midden in de nacht. En meneer heeft ook nog de halve voorraadkast geplunderd.'

'Dat valt best mee, Jan,' zegt moeder Els.

'O ja? Twee stukken kaas, een heel brood, een paar ons ham, twee pakken koekjes, een fles melk, een doos kaarsen en drie, ik herhaal: dríe anderhalveliter-flessen cola.'

Joost grinnikt. 'Net alsof pap een boodschappenlijstje opzegt.'

'Hou je mond,' snauwt vader Jan.

'Toe nou, Jan,' zegt hun moeder, 'Joost bedoelt het grappig.'

'Daar zit ik niet op te wachten!'

Ondertussen denkt Eefie: nu snap ik waarom Pepijn vannacht niet over de brandtrap is vertrokken. Hij wilde natuurlijk eten en drinken meenemen uit de keuken.

Oma zegt opgewekt: 'We weten nu in elk geval dat die jongen niet omkomt van de honger.'

'Of van de dorst,' zegt Eefie.

Nina roept: 'Ik ga later ook weglopen. Neem ik alle ijsjes mee.'

Oma lacht. 'En ik mijn stroopwafels.'

'En wat zal ik eens meenemen?' zegt Joost peinzend.

'Niks daarvan!' commandeert vader Jan. 'Er wordt hier niet meer weggelopen.'

Moeder Els vraagt bezorgd: 'Moeten we de politie niet waarschuwen?'

'Jaaah!' juicht Nina. 'En die komt dan met een speurhond en die gaat Pijntje zoeken. En ze hebben een auto met zo'n zwaailamp en een toeter die de hele tijd loeit.'

Maar oma maakt een geruststellend gebaar met haar hand. 'Voorlopig geen politie. Onze Pepijn komt heus wel weer boven water.'

'Ligt Pijntje dan in het zwembad?' vraagt Nina.

Eefie legt uit dat oma bedoelt dat Pepijn weer gauw terugkomt.

Joost staat op en loopt naar het raam. Op de parkeerplaats stopt een oud autootje. Het is het Dafje van meneer Goemie.

'Attentie, attentie!' roept Joost. 'Goemie-gevaar!'

'Waarom is hij zo vroeg?' vraagt Eefie.

'Het is mooi weer,' antwoordt moeder Els. 'We verwachten veel wandelaars op het terras. Kees de kok komt ook zo.'

Een paar minuten later stapt de ober het kantoortje binnen. Als hij hoort dat Pepijn is weggelopen, bromt hij: 'Altijd hetzelfde met die jongen. Eerst dat hoofd en nu dit weer!'

'Tja, pubers!' Vader Jan zucht.

'Maar waar is hij heen?' vraagt meneer Goemie en zijn stem klinkt zelfs een beetje bezorgd.

Verwonderd kijkt Eefie hem aan. Goemie die zich druk maakt over Pepijn. Dat is nog nooit vertoond.

'Geen idee,' zegt haar vader.

'Ik ben vroeger ook een keer weggelopen,' gaat Goemie verder.

Nu staren ze állemaal verbaasd naar de oude kelner. Dit heeft hij nog nooit verteld.

'Echt waar, meneer Goemie?' vraagt Nina.

'Echt waar, meisje. En toen heb ik me verstopt in de mergelgrot hier in het bos. Maar na een paar uur werd ik bang en ben ik weer naar huis gegaan.'

'Waarom liep u weg, meneer Goemie?' vraagt Joost.

'Dat weet ik niet meer.'

In het café klinken stemmen. 'Klanten,' zegt meneer Goemie en hij vertrekt. Vader Jan kijkt door het luikje het café in. 'Er is al een hele wandelclub!' Hij loopt achter Goemie aan en moeder Els gaat met hem mee.

'Zo, hé,' zegt Eefie, 'meneer Goemie die zomaar stout was.'

Nina klapt in haar handen en roept: 'Dat doen we ook in ons toneelstukje. Kleine Goemietje die stout is.'

'Goed idee,' zegt Eefie.

Buiten klinkt het geknetter van een motor.

'Daar is Kees de kok,' zegt Nina en ze rent naar het raam.

Kees komt met zijn prachtig glimmende motor de parkeerplaats op rijden en zet die in het schuurtje.

Nina zwaait naar hem. Kees zet zijn helm af en zwaait terug.

Als hij kantoortje binnen stapt en hoort dat Pepijn weg is, vraagt hij: 'Heeft hij nog steeds ruzie met Jan over zijn kale kop?'

Dan vertelt oma wat er vannacht gebeurd is.

'Die komt heus wel terug,' zegt Kees. 'Kennen jullie trouwens die mop over die vlooien op die kale kop?'

'O nee,' kreunt Eefie, want de moppen van Kees zijn altijd flauw.

'Zegt die ene vlo tegen de andere: "Jammer, vroeger konden we hier altijd verstoppertje spelen!"'

'Ha ha,' zegt Eefie droog.

'En hoe heet een kalkoen zonder veren? Een káálkoen.'

Eefie wijst naar het café. 'Het is al hartstikke druk, Kees.'

'O, dan moet ik gauw aan de slag.' En Kees vertrekt naar de keuken.

'Ik heb jullie gered,' zegt Eefie, 'want hij wist vast nog tien andere moppen over kale koppen.'

Joost staat ondertussen al een hele tijd voor zich uit te staren.

Oma vraagt: 'Krijgen we soms weer een uitzending van Radio Korenwolf?'

'Nee, oma, een onderzoek van detectivebureau Joost.'

'Wat bedoel je, liever?'

'Wat heeft onze huispuber allemaal meegenomen?'

Eefie en Nina beginnen van alles op te noemen: 'Brood, kaas, drie grote flessen cola, doos kaarsen…'

'Precies,' onderbreekt Joost ze, 'kaarsen. Dus waar zou hij kunnen zitten?'

'In de mergelgrot natuurlijk,' roept Eefie, 'net als Goemie vroeger. Vandaar die kaarsen.'

'Knap werk, detective Joost,' zegt oma tevreden.

Joost haalt achteloos zijn schouders op en zegt verwaand: 'Ach ja, een kwestie van nadenken. Daarvoor moet je vijfde-groeper zijn. Zevende-groepers kunnen dat niet meer. Te oud, hè? En kleuters zijn er nog te klein voor. Ik zit eigenlijk net in de goede groep.'

'Nou ja!' roept Eefie verontwaardigd.

'Nou ja!' doet Nina haar na. 'Ik ben niet te klein. Ik ben een grote kleuter, hoor, Joost Maassen!'

Oma maakt een eind aan het geharrewar. 'Luister, lieverds, ik wil graag dat jullie naar de grot gaan. We moeten zeker weten dat hij daar zit. Dan hoeven we ons niet meer onge-rust te maken.'

'Jaaah,' roept kleine Nina, 'naar de grot.'

'Maar voor jullie gaan, spreken we één ding af. Jullie gaan Pepijn niet plagen. En ik geef jullie een pak stroopwafels mee. Die geef je af met de groeten van oma. En je vraagt wanneer hij weer naar huis komt. En of hij morgen gewoon naar school gaat. Meer niet. Beloofd?'

'Stroopwafel!' roepen de kinderen tegelijkertijd.

Even later steken de kinderen de weg over die langs De Korenwolf loopt. Aan de overkant, naast de geitenboerderij, ligt het pad naar het bos.

Ze stappen stevig door.

Eefie zegt: 'Misschien zit Pepijn heel diep verstopt in de grot.'

'Dan moeten we hem gaan zoeken,' zegt Joost en hij houdt een zaklamp omhoog.

'Dat durf ik niet,' zegt Nina. 'Ik vind het eng in de grot.'

'Tja, dat heb je met kleuters,' zegt Joost vals. 'En pas vooral op voor het mergelmonster!'
'Joost, hou op,' beveelt Eefie.

Maar Nina vraagt angstig: 'Joost, wat is het mergelmonster?'
'Gewoon, een hele oude dinosaurus die tienduizend jaar geleden in slaap is gevallen in de grot en vandaag wakker wordt. En hij is gek op gebraden kleuters.'
'Niet waar,' roept Nina boos, 'dino sauzen lusten geen kleuters.'
Eefie pakt de hand van Nina. 'Joost kletst uit zijn nek. Dat beest is allang uitgestorven. Wees maar niet bang.'
'Stomme Joost,' mokt Nina.
Zwijgend lopen ze verder. De weg naar het bos klimt langzaam. Als ze in het bos komen, slaan ze na een tijdje een smal zijpaadje in en lopen tussen hoge struiken door.
Ineens staan ze voor de ingang van de mergelgrot, een groot gat van een meter of vijf hoog. Het is het begin van een lange donkere gang die diep de grot in gaat. Vroeger hebben mensen hier de gele kalksteen weggekapt om er huizen van te bouwen.

Eefie roept naar binnen: 'Pepijn, wij zijn het!'
Het blijft stil.
'We moeten naar binnen,' zegt Joost. 'En dan hoeven we alleen maar af te gaan op burpgeluiden.'
'Waarom?' vraagt Nina.
'Nou, met al die flessen cola. Daar ga je flink van boeren.'
Nina zet haar handen aan haar mond en roept: 'Pijntje, doe eens een burpje!'
Vanuit de grot klinkt ineens keihard: 'Buuurp!'
Nina schrikt, maar Eefie en Joost schieten in de lach.

Beertje

'Hoi, guppen!' horen de kinderen roepen vanuit de grot. 'Wat gezellig dat jullie langskomen.' Ze zien vanuit de donkere gang een zaklamp op ze af komen.

'De dino saus!' roept kleine Nina bang.

De kinderen horen iemand lachen en dan herkent Nina Pepijn.

Wanneer hij uit de grot naar buiten stapt, roept Nina: 'Pijntje, pas op voor het mergelmonster.'

'Voor wie?' vraagt Pepijn.

'Joost heeft weer wat verzonnen,' zegt Eefie.

Pepijn tilt zijn kleine zus op. 'Prinsesje, wees maar niet bang. Het is juist heel gezellig in de grot. Gaan jullie met me mee?'

Nina slaat twee armen om haar grote broer heen. 'Als jij me draagt.'

Joost wijst verbaasd naar Pepijns hoofd: 'Heb je die muts nog steeds op?'

Pepijn knikt. 'Tegen de kou. Want het is best fris daar.' Dan loopt hij samen met Nina terug de grot in.

Joost en Eefie komen erachteraan. Joost licht bij met zijn zaklamp. Ze lopen een heel eind de donkere gang in en nemen dan een zijgang. Ineens zien de kinderen een lichtje schijnen. Precies op tijd, want Nina begint toch weer bang te worden.

De kinderen stappen een kleine lage ruimte binnen waar drie kaarsen branden. Pepijn kan er net rechtop staan.

In de hoek ligt de slaapzak en daarop zit een meisje. Ze draagt net zo'n mutsje als Pepijn.

'Een dino saus!' roept kleine Nina.

Maar Eefie zegt vrolijk: 'Nu snap ik waarom het zo gezellig is in de grot!'

Pepijn zet Nina op de grond. 'Lieve guppen van me, mag ik jullie even voorstellen aan Laila, het leukste meisje van de hele wereld.'

'En ik dan?' roept Nina.

Iedereen schiet in de lach.

Laila steekt haar hand op. 'Hoi, allemaal, of mag ik ook "guppen" zeggen?'

'Liever niet,' gromt Joost. 'Ik heet Joost.'

'Van mij mag het,' zegt Eefie. 'Ik weet dat Pepijn het lief bedoelt.'

'Van mij mag het ook,' roept Nina.

Pepijn legt de deken op de grond en de kinderen gaan erop zitten. Pepijn kruipt naast Laila op de slaapzak.

Eefie geeft de stroopwafels. 'Met de groeten van oma! En ze vraagt wanneer je weer naar huis komt en of je morgen naar school gaat.'

Pepijn doet net alsof hij maar de helft gehoord heeft. 'Wat lief van oma. En ze is niet boos dat ik toch naar het feest ben gegaan?'

'Woedend!' roept Joost.

'Welnee,' zegt Eefie, 'ze maakte zich gewoon zorgen over jou. Daarom moesten wij hier gaan kijken.'

'Maar hoe wisten jullie dat ik hier zat?'

Joost klopt trots op zijn borst. 'Detectivebureau Joost!' Dan vertelt hij over meneer Goemie, die als kind ook is weggelopen. En het boodschappenlijstje van vader Jan met de kaarsen.

Als hij klaar is, vraagt Eefie opnieuw: 'Wanneer kom je nou naar huis?'

'Voorlopig niet,' antwoordt Pepijn stug. 'Zolang die ouwe zo vervelend doet, blijf ik hier.'

Eefie wijst naar Laila en gniffelt. 'Je bent in elk geval niet alleen.'

'Maar ík ben niet weggelopen,' zegt Laila. 'Ik ben op bezoek. Straks ga ik weer naar huis.'

Joost kijkt haar onderzoekend aan en vraagt streng: 'Maar hoe wist jíj dat hij hier zat?'

'Ah,' roept Pepijn spottend, 'kruisverhoor door inspecteur Maassen. Pas op je woorden, schat!'

Laila legt haar arm over Pepijns schouders. 'Mijn beertje heeft mij gebeld.'

Joost schudt nadrukkelijk zijn hoofd. 'Dat kan helemaal niet. Hij kan jou niet bellen, want mobieltjes doen het niet in de grot.'

'Doe niet zo moeilijk, jongen,' zegt Pepijn. 'Ik loop gewoon even naar buiten als ik moet bellen. Hou op met je gezeur.'

'Sorry, beertje,' zegt Joost.

Eefie schiet in de lach.

Nina springt plotseling op. 'Pijntje, je moet morgen toneelspelen voor meneer Goemie. En jij speelt zijn mama.'

'Mooi niet,' antwoordt Pepijn, 'had pap maar niet zo stom moeten doen.'

'Jij doet ook stom omdat je ruziemaakt met pap,' roept Nina.

'Nina, bemoei je er niet mee,' zegt Pepijn knorrig. 'Dit is niks voor kleuters.'

Boos stampt Nina op de grond. 'Pijntje, nou zeg jij ook al dat ik nog te klein ben! Net als Joost vanmorgen. Ik ben een héle grote kleuter, hoor!' Dan begint ze zachtjes te huilen.

Laila staat op van het bed en gaat op haar hurken bij Nina zitten. 'Stil maar, schatje, je bent écht al heel groot.'

'Jaaaaah,' huilt Nina.

Pepijn zit er een beetje onhandig bij.

Eefie kijkt naar hem en denkt: als Nina gaat huilen, dan smelt hij altijd. Wie weet doet hij toch nog mee.

Maar Pepijn zegt: 'Luister, prinsesje, pap en ik hebben ruzie, maar dat komt weer goed. Jij hebt toch ook wel eens ruzie met een kindje op school? Dat gaat ook over. Maar tót het zover is, blijf ik hier zitten.'

Joost mompelt: 'Kun je hier lang blijven zitten, met die vader van ons. Tegen die tijd vinden we je terug als geraamte.'

Nina snikt: 'Jullie moeten vrienden sluiten. Morgen, want dan kan het toneelstukje doorgaan.'

'Oké,' verzucht Pepijn, 'ik zal erover nadenken. Misschien kom ik morgen wel. Dan ga ik eerst naar school en kom ik daarna naar huis.'

Joost en Eefie kijken elkaar aan. Ze geloven er niks van. Pepijn roept maar wat om van Nina af te zijn.

Pepijn staat op. 'Guppen, ik breng jullie terug naar de uitgang.'

De kinderen zeggen Laila gedag en lopen met Pepijn mee.

'Denk je er écht over na?' vraagt Eefie als ze weer buiten de grot staan.

'Ik zal het proberen,' antwoordt Pepijn.

Een halfuurtje later stappen ze oma's kamer binnen.

Joost doet meteen verslag. Hij pakt een leeg vaasje en houdt het voor zijn mond. 'Hier is hij weer, uw eigen Joost Maassen van Radio Korenwolf. Na een lange en gevaarlijke tocht hebben de drie ontdekkingsreizigers eindelijk de opstandige puber Pepijn gevonden. Hij heeft zich teruggetrokken in de grotten van Groesselt. Voorlopig is de kans klein dat de puber de grot zal verlaten, zeker nu er een beeldschoon meisje bij hem is komen wonen. Ze heet Laila. En, luisteraars, vanaf heden heet de puber geen "Pepijn" meer, maar "beertje". En ons beertje woont voortaan met zijn berinnetje in de mergelgrot.'

Oma slaat haar handen in elkaar en roept: 'Het is toch niet waar!'

'Ze was alleen maar op bezoek,' zegt Eefie geruststellend.

Nina roept: 'Pepijn komt morgen meedoen met het toneelstukje.'

'Fijn,' zegt oma.

Maar Eefie fluistert: 'Ik geloof er niks van, oma.'

Oma knipoogt naar Joost en vraagt: 'Joost, wil jij even met Nina naar beneden lopen? Een ijsje halen voor ons allemaal?'

'Jaaah!' juicht Nina en ze is al weg. Joost rent erachteraan.

Dan vertelt Eefie wat Pepijn gezegd heeft. 'En ik denk niet dat hij morgen thuiskomt.'

'Daar was ik al bang voor,' antwoordt oma. 'Als die jongen dwars gaat liggen, dan is hij zo koppig als wat. We móéten iets verzinnen, Eefie!'

Oma grijpt in

Als de kinderen maandagmiddag uit school komen, is Pepijn er niet, maar hun ouders weten inmiddels dat hij in de grot zit. Toen oma het gisteravond aan ze vertelde, wilde vader Jan er meteen naartoe. 'Ik sleur die jongen de grot uit!' Oma wist hem om te praten. 'Laat Pepijn toch. We weten nu waar hij uithangt en hij komt heus wel weer tevoorschijn.' Eefie, Nina en Joost drinken thee met hun moeder in het kantoortje. Oma is er ook bij.

Eefie vraagt: 'Mam, heb je al iets van Pepijn gehoord?'

'Nee, maar wel van zijn school. Ze belden op om te melden dat Pepijn er niet was. Ik heb maar gezegd dat hij ziek is.'

Joost grinnikt. 'Mag ik ook een keer gratis ziek zijn?'

'Jaaah,' juicht Nina, 'ik wil ook.'

'Nu geen grapjes,' zegt oma streng. 'Jullie ouders hebben wel wat anders aan hun hoofd. Vanavond is het feest van meneer Goemie. Doen jullie nu toch dat toneelstukje, zonder Pepijn?'

'Ja, hoor,' roept Nina, want die vindt alles best zolang ze maar kan toneelspelen.

Maar Joost en Eefie kijken bedenkelijk.

'Weet Goemie nog helemaal niks,' vraagt Joost, 'van het feest en de ridderorde?'

'Nee,' zegt moeder Els, 'tot nog toe niet. We hebben gezegd dat de burgemeester vanavond om zeven uur komt eten. En dat hij een paar belangrijke gasten meebrengt. Meneer Goemie zou zich daarom extra netjes aankleden. Hij is over een

70

halfuurtje hier en dan… mondje dicht.'

Kees de kok steekt zijn hoofd om de keukendeur. 'Kom eens kijken, ik heb een speciale Goemie-taart gemaakt.'

Met zijn allen lopen ze de keuken in. Daar staat een grote chocoladetaart. Midden op de taart pronkt een marsepeinen obertje dat verdacht veel op meneer Goemie lijkt. 'Goed gelukt, hè?' zegt Kees trots. 'Ik ben er zelfs in geslaagd hem te laten lachen.'

'Knap gedaan, Kees,' zegt oma.

'Mag ik Goemie straks opeten?' vraagt Joost. 'Bijt ik eerst zijn kop eraf.'

Eefie en Nina proesten het uit, maar hun moeder roept boos: 'Ik wil niet dat je dit soort dingen zegt!'

'Sorry, mam.'

Buiten klinkt het pruttelend geluid van een auto.

'Daar heb je hem al,' zegt Eefie, 'in zijn ouwe Dafje.'

'Goemie-gevaar!' roept Nina.

Kees raakt in paniek. 'O nee, hè! Onze mopperkont is veel te vroeg. Ik moet nog met slagroom "40 jaar" op de taart spuiten. Vooruit, naar buiten jullie! Hou hem vijf minuten aan de praat, dan ben ik klaar.'

De kinderen lopen door het gangetje snel naar buiten. Daar blijven ze als drie schildwachten voor de achterdeur staan.

Meneer Goemie stapt uit zijn autootje en komt op de kinderen toe gelopen.

Hij ziet er keurig uit. Meestal draagt hij een ouderwets herenvest, maar deze keer heeft hij een pak aan.

'U ziet er mooi uit, meneer Goemie,' zegt Eefie.

De kelner kijkt haar wantrouwig aan en bromt: 'Dank je, en mag ik er nu even door? Ik heb haast.'

'Wat een mooi strikje,' zegt Joost.

'Ja, het is goed met je, maar nou opzij, hup!'

Eefie kijkt de anderen wanhopig aan.

Kleine Nina roept: 'U mag er niet door.'

'Wat is dit voor onzin!' snauwt Goemie en hij duwt de kinderen opzij.

Maar Nina trekt de kelner heel hard aan zijn jasje en roept: 'Hier blijven, Goemie! Je mag de taart nog niet zien. Die is voor je feest!'

'O Nina,' kreunt Eefie.

Meneer Goemie kijkt Nina met grote ogen aan en vraagt nors: 'Feest, wat voor feest?'

'Voor… voor… oma,' stamelt Joost, 'omdat ze… omdat ze… al bijna honderd jaar oma is… eh… of zoiets.'

'Hou jezelf voor de mal,' zegt Goemie boos. Dan beent hij met grote stappen naar binnen.

Kees de kok is net klaar met slagroom spuiten als de ober de keuken binnen stormt.

Goemie blijft hijgend voor Kees staan en roept: 'Wat is dit?'
'Een taart,' antwoordt Kees droog, 'voor een kelner die veertig jaar bij ons werkt. Ene meneer Goemie. We geven een feestje voor hem.'
'Niet voor mij,' roept Goemie nijdig. 'Ik háát feestjes.' Hij draait zich om en loopt weg. In het gangetje botst hij tegen de kinderen op. Die vliegen alle kanten uit.
Haastig verdwijnt de kelner naar buiten en hij loopt naar zijn auto.
'Goemie gaat ervandoor!' roept Eefie.
'Hij vlucht!' roept Joost.
'Pak hem!' roept Nina.
De kinderen rennen achter hem aan en Eefie schreeuwt: 'Meneer Goemie, kom terug, het is écht leuk!'

De oude kelner ziet de kinderen op zich af komen en kijkt
verwilderd om zich heen. Dan rent hij de parkeerplaats af
naar de weg. Daar steekt hij over en neemt het pad naar het
bos.
'Meneer Goemietje,' roept Nina, 'meneer Goemietje, kom
terug!'
Maar de ober stapt stevig door.
De kinderen blijven verbaasd achter.
'Die kan nog hard lopen,' zegt Eefie.
Joost knikt en zegt plechtig: 'De vlucht van de knorrige kelner.'
Oma en moeder Els komen ook naar buiten. Hoofdschuddend kijken ze Goemie na, die in de richting van het bos
verdwijnt.
Dan horen ze een opgewonden stem. 'Waar is meneer Goemie?' Het is hun vader, die door Kees is gewaarschuwd.

'Weggelopen,' zegt Nina.

'Dit is toch om gek van te worden!' roept vader Jan woedend. 'Iedereen loopt hier maar weg. En straks staat de burgemeester op de stoep. Waar is Goemie naartoe?'

'Menéér Goemie,' zegt Joost.

'Bemoei je er niet mee!'

'Sorry, pap.'

Zwijgend staat de hele familie nu op de parkeerplaats en kijkt naar het pad aan de overkant. Meneer Goemie is al bijna niet meer te zien.

Na een tijdje zegt Eefie: 'Zou hij soms ook naar de grot gaan? Net als vroeger, toen hij nog klein was? Dat heeft hij ons zelf verteld.'

Joost schiet in de lach. 'Dan zal Pepijn wel schrikken. Het nieuwe mergelmonster.'

'Wat moeten we nou?' Vader Jan zucht wanhopig. 'Dat wordt een afgang als de burgemeester zo dadelijk komt.'

Oma tikt boos met haar stok op de grond. 'Niks afgang. Vooruit, Kees, pak je motor, we gaan samen naar de grot. Ik zal meneer Goemie én Pepijn eens even onder handen nemen. Het moet nu maar eens afgelopen zijn!'

'Motor?' vraagt Kees verbaasd.

'Schiet op!' commandeert oma. 'Jij rijdt en ik ga achterop. Heb je nog zo'n helm voor me?'

'Natuurlijk,' zegt Kees. 'Te gek, hé, met oma op de motor.'

'Maar, ma,' protesteert vader Jan, 'dat kan toch niet? U kunt toch niet zomaar…'

'Dat kan wel!' Steunend op haar stok loopt oma naar het schuurtje waar de motor van Kees staat. De hele familie komt erachteraan. 'Ik moet mijn jas hebben,' roept oma. 'Joost, hij hangt aan het kapstokje in mijn kamer.'

Joost spurt naar binnen.

Vader Jan probeert zijn moeder nog een keer tegen te houden, maar ze wil niet luisteren. 'Hou toch op, Jan, ik wilde al veel eerder aan Kees vragen of ik eens achterop mocht.'

Ondertussen staan Eefie en Nina te glunderen. Ze wisten allang dat ze een gave oma hadden, maar zó gaaf, dat hebben ze nog nooit meegemaakt.

Kees start de motor en oma probeert achterop te klimmen. Dat valt nog niet mee. Ze roept tegen haar zoon: 'Nou, sta daar niet te kijken als een duf konijn. Help me!'

Vader Jan schiet toe en ondersteunt zijn moeder.

'Mijn stok moet ook mee,' zegt oma, 'voor je-weet-maar-nooit.'

Eefie schiet in de lach. Ze ziet al helemaal voor zich hoe haar oma Goemie en Pepijn ervanlangs geeft.

Kees legt oma's stok voor op het brede stuur van de motor.

Joost komt naar buiten met de jas en moeder Els helpt oma met aantrekken. 'Zou je dit nou wel doen, ma?'

'Ja,' antwoordt oma grimmig, 'niet zeuren, Els.'

Kees geeft haar een helm. Voor ze die opzet, zegt ze: 'Zorg dat alles in orde is voor het feest. En, kinderen, jullie oefenen het toneelstuk en Pepijn speelt de moeder.'

'Doet hij dat écht?' vraagt Eefie.

'Laat dat maar aan mij over. Kees, daar gaan we!'

'Oma, hou je vast!' roept Kees.

De oude dame slaat twee armen om hem heen.

Luid ronkend rijdt de motor langzaam de parkeerplaats af, terwijl de kinderen ze juichend uitzwaaien.

Kees en oma steken de weg over en tuffen heel rustig het bospad op.

Vader Jan en moeder Els kijken ze hoofdschuddend na.

Goemie-gevaar?

Op een groot blok mergel voor de grot zit Pepijn te lezen. Toen hij ervandoor ging, heeft hij wat boeken in zijn rugzak gestopt.

Hij is al een paar keer van plan geweest om naar huis te gaan, want af en toe had hij het best moeilijk in de grot. Niet dat hij bang was, maar hij voelde zich soms erg alleen. Gelukkig is Laila nog een keer langs geweest en stuurt ze hem regelmatig sms'jes.

Maar nu hij hier lekker in het zonnetje zit, voelt hij zich eigenlijk wel cool. Hij heeft zijn mutsje afgedaan en de zon verwarmt zijn kale hoofd. Best stoer, denkt hij, om een paar dagen in een grot te wonen. Maar hij snapt ook wel dat hij hier niet kan blijven. Trouwens, zijn eten is bijna op. En hij wil het ook goedmaken met zijn vader. Maar hij weet nog niet hoe hij dat moet aanpakken. Pepijn is bang dat het nog een tijdje zal duren voor zijn vader afgekoeld is.

Hij schrikt op als hij een paar takken hoort kraken. Dan valt zijn mond open van verbazing. Over het smalle paadje tussen de struiken ziet hij meneer Goemie aankomen.

Pepijn springt op. Zou zijn vader écht zo gek zijn om Goemie op hem af te sturen?

Mopperend komt de oude kelner uit het struikgewas gestapt.

'Dag, meneer Goemie,' zegt Pepijn zo aardig mogelijk.

'Ach, jij ook hier,' bromt Goemie, 'dat dacht ik al.'

'Maar wat doet ú hier?'

'Ik kwam hier vroeger vaak, jongen, toen ik zo oud was als jij. En nu ben ik weggelopen, net als jij. Ze willen me een feest aan mijn broek hangen. Nou, mooi niet. Aan mijn lijf geen polonaise.'

Pepijn schiet in de lach.

'Dat is niet om te lachen,' zegt Goemie knorrig.

'Ik lach niet om u, meneer Goemie, maar om mijn vader. Die heeft zich uitgesloofd voor uw feest. U krijgt zelfs een ridderorde van de koningin. En nou bent u er niet.'

'Een ridderorde van de koningin?' roept meneer Goemie verbaasd.

'Oeps, dat had ik helemaal niet mogen verklappen. Het is een verrassing. De burgemeester komt hem opspelden.'

Goemie ploft neer op het mergelblok voor de grot. 'Niet te geloven,' mompelt hij, 'een ridderorde. Dat ik dát nog mag meemaken.' Dan vraagt hij streng: 'Je neemt me toch niet in de maling, hè, jongen?'

'Nee, écht niet. En u verdíént het, omdat u al veertig jaar in De Korenwolf werkt.'

Meneer Goemie staart even voor zich uit. 'Ik ben nog begonnen bij jouw opa,' mijmert hij. 'Dat was een fijn mens.'

'En hij was óók kaal,' zegt Pepijn droog.

De oude kelner kijkt hem nors aan.

Snel haalt Pepijn zijn mutsje uit zijn broekzak en zet het op.

'Zo beter?' vraagt hij vriendelijk.

Ineens glimlacht meneer Goemie.

Niet te geloven, denkt Pepijn, hij kan wel lachen. Nou ja, glímlachen.

'Ach, Pepijn,' zegt meneer Goemie met een diepe zucht, 'ik ben gewoon te oud voor dit soort dingen. Eigenlijk had ik allang moeten stoppen met werken. Maar ik kan niet de hele dag thuiszitten. Dan word ik gek van mezelf en mijn vrouw van mij. Ik vind het nog steeds prettig in De Korenwolf.'

Pepijn aarzelt even, maar dan vraagt hij het toch. 'Waarom doet u dan vaak zo knorrig tegen ons?'

'Ik hou niet van kinderen. Ja, sorry jongen, maar daar word ik zenuwachtig van. Dat springt maar heen en weer. Het zijn net vlooien.'

Pepijn knikt. 'Dat snap ik wel een beetje. Ik krijg af en toe ook de kriebels van mijn broertje en mijn twee zussen. Vandaag moest ik eigenlijk ook meedoen met een toneelstuk, maar daar heb ik helemaal geen zin in.'

'Ik vind die toneelstukjes van jullie, eerlijk gezegd, wel leuk,' zegt meneer Goemie.

'Dan moet u maar gauw teruggaan, want ze hebben speciaal voor u iets bedacht.'

'En speel jij ook mee?' vraagt Goemie.

'Ja... eh... nee... misschien. Maar ze willen dat ik uw moeder speel en dat doe ik niet.'

'Mijn moeder?' De kelner barst uit in een bulderende lach. Pepijn is stomverbaasd. Zó heeft hij Goemie nog nooit gezien.

'Pepijn,' roept meneer Goemie als hij uitgebulderd is, 'het lijkt me geweldig als jij mijn moeder speelt. Moet je wel een pruik opzetten, want mijn moeder was niet kaal.'

In de verte horen ze een motor aankomen.

'Dat is Kees de kok,' zegt Pepijn.

Goemie knikt. 'Die is mij aan het zoeken. Zullen we maar samen teruggaan?'

Pepijn schudt heftig nee. 'Ik ga niet terug. Mijn vader flipt weer helemaal als hij mij ziet.'

De motor stopt en algauw horen ze het geluid van stemmen dichterbij komen.

'Ze zijn met zijn tweeën,' zegt Goemie. 'Wie zou Kees bij zich hebben?'

Gespannen kijken ze naar het smalle paadje dat bij de grot uitkomt. Eerst zien ze Kees tevoorschijn komen en daarna oma met haar stok.

'Oma!' roept Pepijn blij.

'Mevrouw Maassen toch!' roept meneer Goemie bezorgd. 'Hoe komt u 's hemelsnaam hier?'

'Achter op de motor van Kees,' antwoordt oma ferm. 'Ik kom jullie halen. Het gedonder moet afgelopen zijn.' En ze tilt dreigend haar stok op.

'Maar ik ga gráág mee, mevrouw,' zegt meneer Goemie en hij legt zijn hand op een schouder van Pepijn. 'Ik ben heel blij dat ik hem hier tegenkwam. Pepijn heeft mij alles verteld. Ook over de ridderorde. Anders had ik mij voorlopig verstopt in de grot.'

'Meneer Goemie,' vraagt Pepijn bijna smekend, 'wilt u dat alstublieft ook tegen mijn pa zeggen?'

'Dat zal ik doen, jongen.'

Oma draait zich om naar Kees. 'Vooruit, chauffeur, onmiddellijk terug naar De Korenwolf. Daar zullen ze blij zijn als ze dit horen.'

'Wij lopen achter jullie aan,' zegt meneer Goemie.

Pepijn haalt gauw zijn spullen uit de grot. Dan gaat hij samen met de oude kelner op weg naar huis.

Meneer Goemie draagt zijn slaapzak.

Eindelijk feest

In De Korenwolf is iedereen opgelucht als oma en Kees vertellen dat Pepijn en meneer Goemie onderweg zijn. 'En je mag Pepijn wel dankbaar zijn,' zegt oma tegen vader Jan, 'want hij heeft ervoor gezorgd dat Goemie terugkomt.'
'Ja maar…' protesteert vader Jan.
'Ik wil geen ruzie meer. Jullie maken het weer goed. En met die haren van Pepijn komt het ook wel in orde.'
Tegen zes uur stappen meneer Goemie en Pepijn De Korenwolf binnen.
Eefie, Joost en Nina sleuren Pepijn meteen mee naar de zaal. Hij moet oefenen voor het toneelstuk.
'Doe je best, Pepijn!' roept Goemie hem vrolijk achterna.
Eefie vraagt verbaasd: 'Wat heb je met hem gedaan? Of is dit zijn broer?'
'Nee, hoor,' antwoordt Pepijn, 'en hij was heel aardig in het bos.'
'Oei!' zegt Joost bezorgd. 'Ik hoop niet dat hij zo blijft, want dan hebben we nooit meer Goemie-gevaar.'
'Maak je geen zorgen,' antwoordt Pepijn. 'Als hij vandaag maar vrolijk is.'
In de toneelzaal ziet het er heel gezellig uit. Overal staan bloemen en op een grote tafel pronkt de taart van Kees.
De kinderen zijn nog druk aan het repeteren voor het toneelstuk, als tegen halfzeven hun moeder komt waarschuwen dat de eerste gasten zijn aangekomen. Het stuk is nog niet af en daarom vertrekken de kinderen naar de kleedkamer onder

het toneel. Daar kleden ze zich meteen om. Eefie trekt een oud pak aan en zet een hoed op. Het kostuum is haar veel te groot; vooral de broek zakt steeds af. Ze bindt er een touw omheen en zo speelt zij voor de vader van Goemie.

Pepijn is de moeder van Goemie. Hij hijst zich, onder luid gegiechel van de anderen, in een jurkje. Daarna zet hij een blonde pruik op en trekt een paar laarsjes aan.

En Nina speelt kleine Goemie in een zwart jasje.

Tegen zeven uur gaat Joost in de zaal kijken. Hij komt opgewonden naar beneden. 'Het halve bejaardenhuis is uitgerukt. Er zitten wel dertig oma's en opa's in de zaal.'

'Dat zijn natuurlijk vrienden van Goemie,' zegt Eefie. 'Die zijn hier om hem te verrassen. Dat hoort zo als je een ridderorde krijgt.'

'Vrienden?' vraagt Joost verbaasd. 'Heeft Goemie die dan?'

'Natuurlijk,' antwoordt Pepijn.

'Maar hij is knorrig,' zegt kleine Nina.

'Ja, tegen ons, maar niet tegen zijn vrienden. Goemie heeft mij verteld dat hij zenuwachtig wordt van kinderen. Het vindt het net vlooien.'

'Nou ja!' roept Eefie verontwaardigd.

'Kom op, vlooien,' zegt Joost, 'we moeten naar boven. De burgemeester is er om de ridderorde op te spelden.'

'Stom,' zegt Nina.

'Hoezo stom?'

'Nou, ik wil dat de koningin komt.'

'Weet je wat?' zegt Eefie. 'Ik heb een plannetje.' En dan vertelt ze wat ze gaan doen na het toneelstuk.

'Jaaah,' juicht Nina, 'dat is leuk.'

De kinderen vertrekken naar boven en wachten achter het gordijn.

Vader Jan komt ook naar achteren. 'Zijn jullie klaar?' Als hij Pepijn ziet, schiet hij in de lach en slaat twee armen om hem heen. 'Je ziet er mooi uit, Pepijn. We moeten na afloop maar even praten. Ik ben in elk geval blij dat je er bent. Én dat je meneer Goemie hebt meegebracht. Ik ga hem en zijn vrouw binnenroepen en dan kondig ik jullie aan.'

Vader Jan stapt voor het doek en heet alle mensen welkom. Dan vraagt hij een applaus voor meneer Goemie en zijn vrouw.

Die komen de zaal binnen terwijl iedereen klapt.

De kinderen kunnen niks zien doordat ze achter het toneel zitten.

'Ik ben benieuwd naar mevrouw Goemie,' zegt Joost.

'Ik ook,' roept Nina. 'Is dat een vrouwtjesknorrepot?'

Maar Eefie zegt: 'Volgens oma is ze heel aardig.'

'We moeten beginnen,' waarschuwt Pepijn.

Ze horen vader Jan zeggen: 'Dames en heren, graag uw aandacht voor de kinderen van De Korenwolf met het toneelstuk: "Toen meneer Goemie nog klein was.'"

Joost trekt het gordijn open en kleine Nina huppelt het toneel op. Vrolijk zingt ze: 'Ik ben kleine Goemietje en ik ben zo blij.'

De hele zaal begint al te lachen. Dan stapt Joost het toneel op. 'Ja, dames en heren, u ziet het goed, hier is de kleine Goemie. En wat is hij blij. Maar, o jee, daar komen zijn vader en moeder aan en die zijn helemaal niet blij.'

Pepijn en Eefie stappen gearmd op Nina af. En met een hoog stemmetje roept moeder Goemie-Pepijn: 'Goemietje, hier komen!'

Dan moet hij even wachten, want het publiek giert het uit. Eefie kijkt stiekem de zaal in. Ze ziet meneer en mevrouw Goemie ook lachen.

Kleine Nina rent weg en vader en moeder Goemie gaan erachteraan. Na twee rondjes over het toneel verdwijnt Nina achter het zijdoek.

'Wat moeten we toch met ons kind?' roept vader Goemie-Eefie.

'Kinderen zijn net vlooien,' piept moeder Goemie-Pepijn.

'Hij moet naar school, want hij moet leren,' zegt vader.

Pepijn doet een stap naar voren. Hij trekt zijn jurkje recht en strijkt met zijn hand door zijn pruik. 'Ja, beste mensen, wij willen graag dat onze Goemietje later dokter wordt of professor of dominee of pastoor.'

Nina komt weer het toneel op rennen en blijft bij haar vader en moeder staan.

'Goemietje,' zegt vader Eefie, 'wat wil je later worden?'

'Ober in De Korenwolf,' roept Nina.

'Wat?' schreeuwt moeder Pepijn en hij laat zich languit op de grond vallen.

Vader Eefie gilt: 'Help, moeder Goemie valt flauw.'

Pepijn komt weer overeind en roept: 'Niks daarvan, Goemietje, je wordt geen ober!'

Nina rent weer over het toneel, terwijl ze roept: 'Als ik geen ober mag worden, ga ik me verstoppen in de grot.'

'Erachteraan!' krijst zijn moeder.

En Pepijn springt overeind en zet de achtervolging in.

Joost laat ondertussen alle toneellampen knipperen.

Vader, moeder en kleine Goemie rennen opnieuw rondjes over het toneel en het publiek heeft de grootste lol. Vooral als moeder Pepijn nauwelijks vooruitkomt op haar hoge hakken. En de broek van vader Eefie afzakt doordat het touw geknapt is. Gelukkig heeft Eefie haar spijkerbroek eronder aan. Ze struikelt over de vaderbroek en trekt hem gauw uit. En als Pepijn ook nog zijn pruik verliest, is de pret helemaal compleet.

Moeder Pepijn roept: 'Ik krijg grijze haren van dat kind!'

Hijgend blijven Goemies vader en moeder staan.

Pepijn zet zijn pruik weer op. Pas wanneer het publiek uitgelachen is, zegt hij: 'Ik geef het op. Als ons Goemietje ober wil worden, mag dat. Maar alléén in hotel De Korenwolf.'

Joost stapt weer het toneel op en zegt: 'En zo ziet u maar, dames en heren, dat alles toch nog goed kwam.'

Pepijn pakt zijn gitaar en samen zingen de kinderen op de wijs van 'Op een klein stationnetje':

> *Heel lang geleden*
> *toen Goemie kleuter was*
> *wilde hij al kelner worden*
> *in zo'n zwarte jas*
> *hij speelde al voor ober*
> *stond altijd voor ons klaar*
> *en meneertje Goemie*
> *doet dat al veertig jaar*

Nadat het lied uit is, klapt het publiek heel lang en hard. De kinderen buigen en Eefie trekt kleine Nina gauw mee naar achteren, terwijl Joost en Pepijn een grote versierde stoel klaarzetten.

Dan klimt de burgemeester het trapje van het toneel op. Hij nodigt meneer Goemie uit om in de stoel plaats te nemen. Een beetje zenuwachtig gaat de ober zitten. De burgemeester houdt een klein toespraakje: dat meneer Goemie altijd hard heeft gewerkt en zijn best heeft gedaan voor De Korenwolf. Daarna haalt hij een doosje tevoorschijn.

Op dat moment komt Nina het toneel op. Eefie heeft haar geholpen met het aantrekken van haar prinsessenjurk.

Vanachter het toneel roept Eefie heel hard: 'Dames en heren: de koningin!'

De hele zaal lacht weer.

De burgemeester kijkt eerst een beetje ongerust, maar als Nina zegt: 'Ik kom alleen even helpen', vindt ook hij het leuk.

Voorzichtig haalt de burgemeester de ridderorde uit het doosje. Het is een kleine zilveren ster met een oranjeblauw lint eraan. Dan zegt hij plechtig: 'Het heeft Hare Majesteit de Koningin behaagd om u te benoemen tot Ridder in de orde van Oranje Nassau.'

Alle mensen beginnen te klappen. En samen met Nina speldt de burgemeester de ridderorde op.

Meneer Goemie straalt helemaal.

De kinderen zingen nog een keer het lied, en dan komt iedereen hem feliciteren. Eerst natuurlijk zijn vrouw en dan alle vrienden. Iedereen heeft wel iets voor hem meegenomen: een bos bloemen, een fles wijn, een boek of een ander cadeautje.

Alle mensen krijgen koffie of iets anders en natuurlijk een stuk van de taart.

Na een halfuurtje zit iedereen gezellig te kletsen in de zaal. Eefie en Pepijn zitten bij oma, maar Joost en Nina blijven

in de buurt van de taart. Ze willen eigenlijk heel graag
het Goemietje hebben dat erbovenop staat. Maar Kees de
kok houdt ze in de gaten. De twee kinderen blijven om de
taart drentelen.

Plotseling horen ze achter zich een bekende stem. 'Vooruit, kinderen, ga eens opzij!' Het is meneer Goemie, die
ook een stuk taart wil.

'Dag, meneer Goemie,' zegt kleine Nina.

De oude ober pakt het marsepeinen poppetje van de taart,
bijt de kop eraf en eet het op.

'Het was een mooi toneelstuk,' zegt meneer Goemie dan,
'dank jullie wel. Maar nu staan jullie in de weg. Hup, wegwezen hier!' En hij klinkt weer net zo knorrig als altijd.

Joost pakt Nina bij de hand en trekt haar mee naar oma,
Eefie en Pepijn. En opgelucht roept hij: 'Goemie is gelukkig weer goemie!'